岩 波 文 庫

33-610-1

マルクス・アウレーリウス

自　省　録

神谷美恵子訳

岩 波 書 店

Marcus Aurelius

TA EIS HEAUTON

訳者序

プラトーンは哲学者の手に政治をゆだねることをもって理想としたが、この理想が歴史上ただ一回実現した例がある。それがマルクス・アウレーリウスの場合であった。大ローマ帝国の皇帝という地位にあって多端な公務を忠実に果しながら彼の心はつねに内に向って沈潜し、哲学的思索を生命として生きていた。組織立った哲学的研究や著述に従事する暇こそなかったけれども、折にふれ心にうかぶ感慨や思想や自省自戒の言葉などを断片的にギリシア語で書きとめておく習慣があった。それがこの『自省録』として伝わっている手記である。あるいは宮廷においてつづられ、あるいは遠く北境の陣営において記され、執筆の時も所もひどくまちまちらしい。そのうえ原題「自分自身に」(ta eis heauton)の示すとおり元来ひとに読ませるつもりで書いたものではないから全体の構成も文章もととのわず、難解の個所が少なくない。また写本の保存もきわめて悪くテクストの過誤や不明箇所の多いことでは有名になっている。それにもかかわらずこの書物は「古代精神のもっとも高い倫理的産物」(1)と評され、古今を通じて多くの人々の心の糧となってきた。それはテーヌのいうように「生を享《う》けた者の中でもっとも高貴な魂」(2)がこの書の中で息づいているからであり、その魂のたぐいまれな真実さがつねにあらたに我々の心を打つからである。(3)

本訳は原語ギリシア語からの訳で、Trannoy (1925), Haines (1916), Leopold (1908) のテクストにより、Trannoy, Haines, Meunier, Long, Kiefer, Casaubon の訳および注を参照した。

もともと力不足のうえ、母親としての多忙な生活のほんのわずかな余暇をさいての仕事なので、意にみたぬことのみ多い。大方の御寛恕と御教示とを乞う次第である。

この仕事にさいして文献の入手その他につき御教示と御配慮をたまわった呉茂一先生、神田盾夫先生、大倉山文化科学研究所長上田辰之助先生ならびに同研究員の方々に深く感謝申上げる。なおいろいろお手伝いくださった曰理憲子さんにも心から御礼申上げたい。

昭和二十三年九月末日

（1） J. S. Mill ; *On Liberty*, Chap. II.

(2) H. Taine ; *Nouveaux essais de critique et d'histoire.*
(3) E. Renan ; *Marc-Aurèle.*

新版に対する序

久しく絶版になっていた本書がこのたび呉茂一先生の御配慮により岩波文庫に入れられることになった。同先生に厚く御礼を申上げる次第である。なおこれを機会に仮名づかいと固有名詞の読みをあらため、そのほか若干の改訂をおこなった。

昭和三十一年四月二日

訳　者

目次

マルクス・アウレーリウス

自省録

故　三谷隆正先生に捧ぐ

第一巻

一　祖父ウェールス(1)からは(2)、清廉と温和(を教えられた)。

二　父(3)に関して伝え聞いたところと私の記憶からは、慎ましさと雄々しさ。

三　母(4)からは、神を畏《おそ》れること、および惜しみなく与えること。悪事をせぬのみか、これを心に思うさえ控えること。また金持ちの暮しとは遠くかけはなれた簡素な生活をすること。

四　曾祖父(5)からは、公立学校(6)にかよわずにすんだこと、自宅で良い教師についたこと、このようなことにこそ大いに金を使うべきであることを知ったこと。

五　家庭教師(7)からは、緑党にも青党(8)にも与せず、短楯組にも長楯組(9)にも味方しなかったこと。また労苦に耐え、寡欲であること。自分のことをやって、余計なおせっかいをせぬこと。中傷に耳をかさぬこと。

六　ディオグネートス(10)からは、つまらぬことに力をそそがぬこと。呪文や魔よけや、その他類似の事柄に関してペテンや魔術師のいうことを信用せぬこと。鶉《うずら》を飼わぬこと(11)。またこのようなことに夢中にならぬこと。率直な話を許容すること。哲学に親しみ、まずバッケイオス(12)を、つぎにタンダシス(13)とマルキアーノス(14)を師としたこと。少年時代に対話《ディアロゴス》(15)を書いたこと。藁床や毛皮やその他すべてギリシア式鍛錬法にかなうものを好んだこと。

七　ルスティクス(16)からは、自分の性質を匡正し訓練する必要のあるのを自覚したこと。詭弁術《ソピスティケー》に熱中して横道にそれぬこと。理論的な題目に関する論文を書かぬこと。けちなお説教をしたり、道に精進する人間、善行にはげむ人間として人の眼をみはらせるようなポーズをとらぬこと。修辞学《レートリケー》や詩や美辞麗句をしりぞけること。家の中を長衣《トガ》姿(17)で歩きまわったり、その他同様なことをしないこと。手紙を簡単に書くこと、たとえば彼がシヌエッサ(18)から私の母に宛てて書いた文面のごとし。また腹を立てて自分に無礼をくわえた人びとにたいしては和解的な態度をとり、彼らが元へもどろうとするときには即座に寛大にしてやること。注意深くものを読み、ざっと全体を概観するだけで満足せぬこと。饒舌家たちにおいそれと同意せぬこと。エピクテートス(19)の書きものを知ったこと。この本を彼は自分の書庫から出してきてくれたのであった。

八　アポローニオス(20)からは、独立心を持つことと絶対に僥倖をたのまぬこと。たとえ一瞬間でも、理性以外の何ものにもたよらぬこと。ひどい苦しみの中にも、子を失ったときにも、長い患いの間にも、つねに同じであること。同一の人間が一方では烈しくありながら、他方では優しくありうるということを生きた例ではっきりと見たこと。ひとに説明するとき短気を起さぬこと。経験に富み、哲学的原理をひとに伝えることが堪能であり、しかも明らかにこれらを自分の才能の中でももっとも数うるに足らぬものと考えている人間を見たこと。友人たちから恩恵と思われるものを受けるに際して、そのために卑下もせず、そうかといって冷然と無視もせず、いかにこれを受けるべきかを学んだこと。

九　セクストス(21)からは、親切であること。父権に支配されている家の例。自然に従って生きるという概念。てらいのない威厳。友人たちにたいするこまやかな思いやり。無知な者および道理をわきまえぬ者にたいする忍耐。

またあらゆる人を適当に遇する道。それゆえに彼とまじわることはいかなるお追従よりも愉快であって、そういう機会に人びとは彼にたいしてきわめて深い尊敬の念をおぼえるのであった。また人生に必要な信条《ドグマ》を見出し、これを適当に分類するのに優れた理解力と方法を示したこと。

また怒りやその他の激情の徴候をゆめにも色にあらわさず、このうえもなくものに動ぜぬ人間であると同時に、このうえもなく愛情にみちた人間であったこと。仰々しくなく賞讃すること。多くの知識を持ちながらそれをひけらかさぬこと。

一〇　文法学者アレクサンドロス(22)からは、口やかましくせぬこと。粗野な言葉づかいや、文法的にまちがったことや、気にさわるような表現を用いる人にたいしては、とがめだてするようなふうに非難せず、答えのかたちで、あるいは他人の言葉に口ぞえする形で、または言葉づかいではなく問題自体を一緒に論議するという形で、またそのほか同様の慎ましやかな注意によって、用うべきであった表現そのものをうまく話の中に持って来ること。

一二　フコントー[23]からは、暴君の嫉妬と巧智と虚偽とはどんなものかを観察したこと。また一般に我々の間で貴族《パトリキイー》[24]と呼ばれている人たちは、多かれ少なかれ親身の愛情の欠けていることを観察したこと。

一三　プラトーン学派のアレクサンドロス[25]からは、「私は暇がない」ということをしげしげと、必要もないのに人にいったり手紙に書いたりせぬこと。また緊急な用事を口実に、対隣人関係のもたらす義務[26]を絶えず避けぬこと。

一三　カトゥルス[27]からは、友人が抗議を申込んで来たならば、たとえそれがいわれなき抗議であろうともこれを軽視せずに、彼を平生の友好関係にひきもどすべく試みること。ドミティウス[28]とアテーノドトス[29]について伝えられているように自分の先生たちに関して心から善いことをいうこと。自分の子供たちにたいして真の愛情を持つこと。

一四　私の兄弟セウェールス[30]からは、家族への愛、真理への愛、正義への愛。また彼を通してトラセア[31]、ヘルウィディウス[32]、カトー[33]、ディオーン[34]、ブルートゥス[35]を知ったこと。

万民を一つの法律の下に置き、権利の平等と言論の自由を基礎とし、臣民の自由をなによりもまず尊重する主権をそなえた政体(36)の概念をえたこと。さらに彼からは、哲学にたいしてつねに変らぬ尊敬の念をいだくこと、親切をほどこすこと、すすんで与えること。希望を持つこと、友人の友情に信頼すること。

自分の叱責を受けねばならぬ人びとにたいして歯に衣を着せなかったこと。また友人たちが「あいつはなにを欲し、なにを欲しないのだろう」とあて推量するまでもなく、はっきりしていたこと。

一五 マクシムス(37)からは、克己の精神と確固たる目的を持つこと。いろいろな場合、たとえば病気の場合でさえも、きげん良くしていること。優しいところと厳格なところがうまくまざり合った性質。目前の義務を苦にせず果すこと。

彼のいうことはそのまま彼の考えていることであり、彼のやることは悪意からではないと万人が信じたこと。驚かぬこと、臆さぬこと。決してあわてたり、しりごみしたり、とまどったり、落胆したり、作り笑いしたりせぬこと。また怒ったり、猜疑の心をおこしたりせぬこと。

慈善をなし、寛大であり、真実であること。修養して正しくなった人間、というよりはむしろ天性まがったことのできない人間、という印象を与えたこと。なんぴとも自分が彼に軽蔑されていると考える者もなければ、自分が彼よりも優れているとあえて考える者もなかったこと。〔快く……したこと。〕[38]

一六　父[39]からは、温和であることと、熟慮の結果いったん決断したことはゆるぎなく守り通すこと。いわゆる名誉に関して空しい虚栄心をいだかぬこと。労働を愛する心と根気強さ。公益のために忠言を呈する人びとに耳をかすこと。各人にあくまでも公平にその価値相応のものを分け与えること。いつ緊張し、いつ緊張を弛めるべきかを経験によって知ること。少年への恋愛を止めさせること。

公共的精神。友人たちに食事を共にすることを少しも強要せず、また義務的に旅行のお供もさせなかったこと。何か用事のためにそばを離れていた人びとが帰って来て見ると、つねに同じ彼を見出したこと。評議の際、ものを徹底的に検討しようとする態度。ねばり強さ。安易な印象で満足し、いい加減のところで詮議を切り上げてしまうようなことを決してせぬこと。

倦怠もしなければ夢中になりもせずに友人を持ちつづけること。あらゆることにおいて自足することおよび快活さ。はるかかなたを予見し、悲劇的なポーズなしに、細小のことに至るまであらかじめ用意しておくこと。

彼にたいする喝采やあらゆる追従をさしとめたこと。帝国の要務について日夜心を砕き、その資源を管理し、そのために起る非難を甘んじて受けたこと。神々にたいしては迷信をいだかず、人間にたいしては人気を博そうとせず、きげんをとろうともせず、大衆にこびようともせず、あらゆることにおいてまじめで着実で、決して卑俗に堕さず、新奇をてらいもしなかったこと。

人生を快適なものにするすべてのもの——それを運命はゆたかに彼に与えたが——を誇ることもなく、同時に弁解がましくもなく利用し、そういうものがある時にはなんら技巧を弄することもなくたのしみ、無い時には、別に欲しいとも思わなかったこと。なんぴとも彼のことを詭弁家《ソピステース》、軽佻浮薄な人間、または衒学者と呼びうる者はなく、彼こそは分別ある、完全な、追従に耳をかたむけることのない人間で、自分自身および他人のことを立派に処理しうる人物であった。

そのうえ真の哲学者たちにたいしては尊敬の念をいだき、その他の人びとにたいしては、批評がましいこともいわないが、そうかといってたやすく彼らに惑わされもしない。彼の人づきのよさと少しも気むずかしいところのない慇懃さ。自分の肉体にたいする節度ある配慮。それは生活を愛する人間としてではなく、お洒落のためでもなく、投げやりでもない。かように自分の身を大切にすることによって、彼はめったに医術や内服薬《のみぐすり》や塗布剤《ぬりぐすり》を必要としなかったのである。

特筆すべきは、たとえば雄弁とか、法律、倫理、その他の事柄に関する知識など、なにかの点で特別の才能を持った人びとにたいしては、妬みもせずにゆずったこと。それのみか彼らを熱心に後援して、各々がその独特の優れた点に応じて名誉をうるようにはからったのであった。すべて祖先の伝統に従っておこないながら、伝統を守っていることをひけらかさなかったこと。

一つ所に落着いていられずに動きまわる人たちとは異なり、同じ場所や同じ仕事に留まったこと。頭痛のひどい発作の後、直ちに平生の仕事へ新しい元気で戻ったこと。また彼は多くの秘密を持たず、持ったとしてもきわめて少なく、きわめてまれであり、それも政治的なことに関するもののみであった。祝典の管理、建物の造築、下賜品の分配、その他同様の事柄における思慮と節度。この場合彼は自己のなすべきことにのみ目をそそぎ、それによってえらるべき名誉には目もくれなかった。

彼は時をかまわずに入浴することをせず、家を建てることを好まず、食物や衣服の織り方や色合や奴隷の容姿などを気にかけなかった。(40)〔彼の長衣《トガ》は、別荘のある低地の田舎ロ－リウム(41)からきたものであり、またラーヌウィウムで着ていたものの大部分もそうであった。〕[42]トゥスクルムの収税吏が彼に懇願したとき、この人にたいしていかに振舞ったか。すべて彼のやりかたはそんなふうだった。

彼は粗暴なところも、厚顔なところも、烈しいところもなく、いわゆる「汗みどろ」の状態になることもなかった。彼の行動はすべて一つ一つ別々に、いわば暇にまかせてというように、静かに、秩序正しく、力強く、終始一貫して考慮された。ソークラテースについて伝えられていること[43]は彼にもあてはまるであろう。それは、大部分の人間が節するには弱すぎ、享楽するには耽溺しすぎるようなことを、彼は節することも享楽することもできた、という点である。いずれの場合においても強く忍耐深く節制を守ることは、完全な、不屈の魂を持った人間の特徴で、〔最後の病における彼は〕[44]その例である。

一七　神々からはよき祖父たち[45]を持ったこと。またよき両親、よき妹[46]、よき師、よき知人、親類、友人たち、――そのほとんどことごとくがよい人びとであった――を持ったこと、そして彼らのうちなんぴとにたいしても過ちを犯さなかったこと。もっとも私は機会があれば、そのようなことをしでかす性質を持っているのであるが、神々の恩恵により、かかる試みに私を逢わすようなまわり合せが起らなかったまでのことだ。

また祖父の妾のもとであまり長い間育てられなかったこと。私の青春を純潔に守ったこと。時ならずして男性行為をとることなく、かえってその時を延ばしたこと。

統治者、また父として、私の父のような人物の指導の下にあったこと。彼は私の思いあがりをことごとく取りのぞき、宮廷に住んでいても、護衛兵やきらびやかな衣裳や松明《たいまつ》持ちや彫像やその他同様の仰々しいことを、全部無しですますのもできない相談ではないということをわからせてくれた。それのみか一平民の生活状態にきわめて近い暮しに身をつめながら、しかもそのために卑下したり、統率者として国家のために果さねばならぬ任務をおろそかにせずにいられることを教えてくれたのである。

弟[47]として、私の弟のような者を持ったこと。彼はその性質により、私をして注意深く身を省みるように刺戟し、同時に尊敬と愛情によって私をよろこばせてくれた。私の子供[48]たちが馬鹿でもなければ、身体的にも不自由でなかったこと。修辞学や詩学やその他の勉強においてあまり進歩しなかったこと。もしこれらにおいて自分が着々と進境を示していると感じたなら、私はおそらくそれに没頭してしまったことであろう。私の家庭教師たちの先手を打って、彼らが望むらしく思われる高い地位につかせてあげ、彼らはまだ若いのだから、もっと後になってからそうしてあげる機会もあろうとの期待から、このことの実行を延期しなかったこと。アポローニオス、ルスティクス、マクシムス[49]を知ったこと。

自然にかなった生活について、それがどんなものであるかの概念をはっきりと、そして頻繁に持ったこと。それゆえに、神々や、神々からくるお告げや助けや霊感に関するかぎり、私が自然にかなった生活を即刻始めるのを妨げるものは何ものもなかったのであるが、それにもかかわらず依然目的から遠く離れているのは、私自身のせいであって、神々からの暗示、いやほとんど教示ともいうべきものにたいして、注意を払わなかったためである。

私の身体がこのような生活にこんなに長い間持ちこたえることができたこと。ベネディクタにもテオドトス[50]にも触れなかったこと。また後に恋愛の情に駆られたことはあっても、それから癒されたこと。ルスティクスにたいしてしばしば腹を立てたが、あとで悔いたであろうような行き過ぎは少しもしなかったこと。私の母[51]は若くて死すべき運命にあったが、それにもかかわらずその晩年を私と共に暮したこと。

人が金に困ったり、その他の必要に迫られているとき、これを助けてやりたいと思うたびごとに、それを実現するに必要な金が私にはないといわれたことはただの一度もなかったこと。また他人の助けを受けなくてはならぬというような破目に陥らなかったこと。私の妻[52]のようなあれほど従順な、あれほど優しい、あれほど飾り気のない女を妻に持ったこと。私の子供たちのために適当な教師が難なく見つけられたこと。

夢(53)を通して種々な薬を啓示されたこと、なかんずく吐血とめまいにたいする薬を与えられたこと。それから〔これに関しカイエータ(54)において接した一種の託宣(55)〕。また私が哲学が好きになったとき、ソフィストの手に陥りもせず、論文を書くために腰をすえたり、三段論法を分解したり、天体について観察したりもしなかったこと(56)。

なぜなら以上のことはみな必ず神々と運命の助けによるからである。

グラン河畔(57)のクワーディー族(58)の間にて記す(59)

第二巻

一　あけがたから自分にこういいきかせておくがよい。うるさがたや、恩知らずや、横柄な奴や、裏切者や、やきもち屋や、人づきの悪い者に私は出くわすことだろう。この連中にこういう欠点があるのは、すべて彼らが善とはなんであり、悪とはなんであるかを知らないところから来るのだ。しかし私は善というものの本性は美しく、悪というものの本性は醜いことを悟り、悪いことをする者自身も天性私と同胞であること——それはなにも同じ血や種《たね》をわけているというわけではなく、叡智と一片の神性を共有しているということを悟ったのだから、彼らのうち誰一人私を損ないうる者はない。というのは誰ひとり私を恥ずべきことにまき込む力はないのである。また私は同胞にたいして怒ることもできず、憎む事もできない。なぜなら私たちは協力するために生まれついたのであって、たとえば両足や、両手や、両眼瞼《がんけん》や上下の歯列の場合と同様である。それゆえに互いに邪魔し合うのは自然に反することである。そして人にたいして腹を立てたり毛嫌いしたりするのはとりもなおさず互いに邪魔し合うことなのである。

(1)

二　この私という存在はそれが何であろうと結局ただ肉体と少しばかりの息と内なる指導理性《ト・ヘーゲモニコン》(2)より成るにすぎない。書物はあきらめよ。(3)これにふけるな。君にはゆるされないことなのだ。そしてすでに死につつある人間として肉をさげすめ。それは凝血と、小さな骨と、神経や静脈や動脈を織りなしたものにすぎないのだ。また息というものもどんなものであるか見るがよい。それは風だ。しかもつねに同じものではなく、時々刻々吐き出され、また呑み下される。第三に指導理性だが、つぎのように考えるがよい。お前は老人だ。(4)これ以上理性を奴隷の状態におくな。利己的な衝動にあやつられるがままにしておくな。また現在与えられているものにたいして不満を持ち、未来に来るべきものにたいして不安をいだくことを許すな。

三　神々のわざは摂理にみちており、運命のわざは自然を離れては存在せず、また摂理に支配される事柄とも織り合わされ、組み合わされずにはいない。すべてはかしこから流れ出るのである。さらにまた必然ということもあり、全宇宙——君はその宇宙の一部なのだ——の利益ということもある。しかし自然のあらゆる部分にとって、宇宙の自然のもたらすものは善であり、その保存に役立つものである。宇宙を保存するのは元素の変化であり、またこれらによって構成されるものの変化である。もし以上が信条《ドグマ》であるとするならば、これをもって自ら足れりとせよ。書物にたいする君の渇きは捨てるがいい。そのためにぶつぶついいながら死ぬことのないように、かえって快活に、真実に、そして心から神々に感謝しつつ死ぬことができるように。

四　思い起せ、君はどれほど前からこれらのことを延期しているか、またいくたび神々から機会を与えて頂いておきながらこれを利用しなかったか。しかし今こそ自覚しなくてはならない、君がいかなる宇宙の一部分であるか、その宇宙のいかなる支配者の放射物であるかということを。そして君には一定の時の制限が加えられており、その時を用いて心に光明をとり入れないなら、時は過ぎ去り、君も過ぎ去り、機会は二度と再び君のものとならないであろうことを。

五　至る時にかたく決心せよ、ローマ人として男性として、自分が現在手に引受けていることを、几帳面な飾り気のない威厳をもって、愛情をもって、独立と正義をもって果そうと。また他のあらゆる思念《パンタシアー》から離れて自分に休息を与えようと。その休息を与えるには、一つ一つの行動を一生の最後のもののごとくおこない、あらゆるでたらめや、理性の命ずることにたいする熱情的な嫌悪などを捨て去り、またすべての偽善や、利己心や自己の分にたいする不満を捨て去ればよい。見よ、平安な敬虔な生涯を送るために克服する必要のあるものはいかに少ないことか。以上の教えを守るものにたいして神々はそれ以上何一つ要求し給わないであろう。

六　せいぜい自分に恥をかかせたらいいだろう。恥をかかせたらいいだろう、私の魂よ。自分を大事にする時などもうないのだ。めいめいの一生は短い。君の人生はもうほとんど終りに近づいているのに、君は自己にたいして尊敬をはらわず、君の幸福を他人の魂の中におくようなことをしているのだ。

七　外から起ってくる事柄が君の気を散らすというのか。それなら自分に暇を作って、もっと何か善いことをおぼえ、あれこれととりとめもなくなるのをやめなさい。またもう一つの間違いもせぬように気をつけなくてはならない。すなわち活動しすぎて人生につかれてしまい、あらゆる衝動(5)と思念(6)とを向けるべき目的を持っていない人たちもまた愚か者なのである。

八　他人の魂の中に何が起っているか気をつけていないからといって、そのために不幸になる人はそうたやすく見られるものではない。しかし自分自身の魂のうごきを注意深く見守っていない人は必ず不幸になる。

九　つぎのことをつねにおぼえておくべし。宇宙の自然とはなんであるか。私の(内なる)自然とはなんであるか。後者は前者といかなる関係にあるか。それはいかなる全体のいかなる部分であるか。また君がつねに自然——君はその一部分である——にかなうことをおこなったりいったりするのを妨げる者は一人もないということ。

一〇　テオプラストス(7)は罪悪の比較をするにあたって——いくぶん通俗的な意味でこういうような比較もしてみることができるわけだが——色欲によって犯された過失の方が怒りによるものよりも重い、といかにも哲学者らしくいっている。なぜならば、怒っている人間は、多少の苦痛と無意識ながら良心の苛責とを感じつつ理性にそむいているように見える。ところが色欲のために過ちを犯す者は、快楽に打ち負かされ、罪の中になずみ、いっそう放縦に女々しく見える。であるからテオプラストスが、快楽をもって過ちを犯す者は苦痛をもってこれを犯す者よりももっと大きな非難を受くべきである、といっているのは正しいし、また哲学者たるにふさわしいことである。つまり前者はまず人から悪いことをされ、苦痛のため怒らざるをえなくなった人にどちらかといえば似ているが、後者の方は色欲のために行動にさそわれ衝動に駆られて悪事を働いたのである。

一一　今すぐにも人生を去って行くことのできる者のごとくあらゆることをおこない、話し、考えること。しかし人類の中から去って行くことは、もし神々が存在するならば、少しも恐ろしいことではない。なぜなら神々は君を悪いことにまき込むようなことはなさらないだろうから。ところがもし神々が存在しないならば、もしくはもし彼らが人間どものことなどかまわないならば、神々の存在しない宇宙、摂理のない宇宙に生きていることは私にとってなにになろう(8)。いや、神々は存在する、そして人間どものことを心にかけておられるのだ。そして人間が真に悪いことのなかへおちこむことのないように、彼にすべての力を与え給うたのだ。もし未来において何か悪いことがあるとすれば、すべての者がその中におちこむのを避けうるように、神々があらかじめ用意しておき給うたであろう。人間を悪くしないものが、どうしてその人間の生活を悪くなしうるであろうか。宇宙の自然が知らないでこのことを見すごしたはずはないであろう。あるいは知っていながらこれを防ぐことも、正すこともできないから見すごしたというはずもないであろう。また無力か無能力のためにあやまって善人にも悪人にも平等に善いことと悪いことを起きるようにしたわけでもないであろう。とはいえたしかに死と生、名誉と不名誉、苦痛と快楽、富と貧、すべてこういうもの(9)は善人にも悪人にも平等に起るが、これはそれ自身において栄あることでもなければ恥ずべきことでもない。したがってそれは善でもなければ悪でもないのだ。

三　なんとすべてのものはすみやかに消え失せてしまうことだろう。その体自体は宇宙の中に、それに関する記憶は永遠の中に。すべて感覚的なもの、特に快楽をもって我々を魅惑するもの、苦痛をもって我々を怖れしむるもの、虚栄心の喝采を受けるものなどは、どんなものなのであろう。なんとそれはやすっぽく、いやしく、きたなく、腐敗しやすく、死んでいることであろう。これは我々の知能で理解のできることだ。その意見やお声がかりが名声を(与える)ところの人びとはそもそも何者であるか。死ぬということはなんであるか。もし我々が死それ自体をながめ、理性の分析によって死からその空想的要素を取り去るならば、それは自然のわざ以外の何ものでもないと考えざるをえないであろう。自然のわざを恐れる者があるならば、それは子供じみている。しかも死は単に自然のわざであるのみならず、自然にとって有益なことでもあるのだ。

いかにして人間は神に接触するか。人間のどんな部分によって、また人間のその部分がどんな具合になって接触するのか。

一三　なによりもみじめな人間は、あらゆる事象のまわりを経めぐり、詩人のいうように「地の深みを極め(10)」、隣人(11)の心の中まで推量せんとしておきながら、しかも自分としては自己の内なるダイモーンの前に出てこれに真実に仕えさえすればよいのだということを自覚せぬ者である。その奉仕というのは激情や無定見や、神々および人間どもからくるものにたいする不満などにけがされぬように、自己のダイモーンを純粋に守ることにある。なぜならば、神々からくるものはその優越性のゆえに尊崇すべきであるし、人間どもからくるものは、彼らが同胞であるがゆえに愛すべきものであり、また時には彼らが善と悪について無知――これは白と黒とを弁別する能力を奪われたのに劣らぬ欠陥であるが――であるがゆえにある意味で憐れむべきものなのである。

一四　たとえ君が三千年生きるとしても、いや三万年生きるとしても、記憶すべきはなんぴとも現在生きている生涯以外の何ものをも失うことはないということ、またなんぴとも今失おうとしている生涯以外の何ものをも生きることはない、ということである。

したがって、もっとも長い一生ももっとも短い一生と同じことになる。[12] なぜなら現在は万人にとって同じものであり、〔したがって我々の失うものも同じである。[13]〕ゆえに失われる時は瞬時にすぎぬように見える。なんぴとも過去や未来を失うことはできない。自分の持っていないものを、どうして奪われることがありえようか。であるから次の二つのことをおぼえていなくてはいけない。第一に、万物は永遠の昔から同じ形をなし、同じ周期を反復している[14]、したがってこれを百年見ていようと、二百年見ていようと、無限にわたって見ていようと、なんのちがいもないということ。第二に、もっとも長命の者も、もっとも早死する者も、失うものは同じであるということ。なぜならば人が失いうるものは現在だけなのである。というのは彼が持っているのはこれのみであり、なんぴとも自分の持っていないものを失うことはできないからである。

一五　すべては主観であること。犬儒学派のモニモス[15]に帰せられている言葉は明白である。またこの言葉の有益な点を、その真実であるかぎり受け入れるならば、その効用も明白である。

一六　人間の魂が自己をもっとも損なうのは、自分にできる範囲において宇宙の膿瘍や腫瘍のようなものになる場合である。[16] なぜならば何事が起っても、そのことにたいして腹を立てるのは自然にたいする離反であって、他のあらゆるものの自然はその自然の一部に包括されているのである。つぎに人間の魂が自己を損なう例としては、ある人間にたいして嫌悪の念をいだいたり、または怒っている人びとの場合のように相手を傷つけるために、はむかって行く場合がある。第三に、人間の魂が自己を損なうのは快楽または苦痛に打ち負かされた場合。第四に、仮面をかぶって不正直に、不真実に、行動したり話したりする場合。第五に、自分の行動や衝動をなんら一定の目的に向けず、でたらめに、関連なしに、なんでもおかまいなく力をそそぐ場合。ところがもっとも小さなことでさえも、目的との関連においておこなわるべきなのである。さて理性的動物の目的はなにかといえば、それはもっとも尊ぶべき都市および国家[17]の理法と法律に従うことである。

一七　人生の時は一瞬にすぎず、人の実質《ウーシアー》[18]は流れ行き、その感覚は鈍く、その肉体全体の組合せは腐敗しやすく、その魂は渦を巻いており、その運命ははかりがたく、その名声は不確実である。

一言にしていえば、肉体に関するすべては流れであり、霊魂に関するすべては夢であり煙である。人生は戦いであり、旅のやどりであり、死後の名声は忘却にすぎない。しからば我々を導きうるものはなんであろうか。一つ、ただ一つ、哲学である。それはすなわち内なるダイモーンを守り、これの損なわれぬように、傷つけられぬように、また快楽と苦痛を統御しうるように保つことにある。またなにごともでたらめにおこなわず、なにごとも偽りや偽善を以てなさず、他人がなにをしようとしまいとかまわぬよう、あらゆる出来事や自己に与えられている分は、自分自身の由来するのと同じところから来るものとして、喜んでこれを受け入れるよう、なににもまして死を安らかな心で待ち、これは各生物を構成する要素が解体するにすぎないものと見なすように保つことにある。もし個々のものが絶えず別のものに変化することが、これらの要素自体にとって少しも恐るべきことでないならば、なぜ我々が万物の変化と解体とを恐れようか。それは自然によることなのだ。自然によることには悪いことは一つもないのである。

於カルヌントゥム(19)

第三巻

一　人生は一日一日と費されて行き、あますところ次第に少なくなって行く。それのみかつぎのことも考慮に入れなくてはいけない。すなわちたとえある人の寿命が延びても、その人の知力が将来も変りなく事物の理解に適し、神的および人間的な事柄に関する知識(1)を追求する観照に適するかどうか不明である。なぜならば、もうろくし始めると、呼吸(2)、消化、表象、衝動、その他あらゆる類似の機能(3)は失われないが、自分自身をうまく用うること、義務の一つ一つを明確に弁別すること(4)、現象を分析すること(5)、すでに人生を去るべき時ではないかどうかを判断すること(6)、その他すべてこのようによく訓練された推理力を必要とする事柄を処理する能力は真先に消滅してしまう。したがって我々は急がなくてはならない、それは単に時々刻々死に近づくからだけではなく、物事にたいする洞察力や注意力が死ぬ前にすでに働かなくなってくるからである。

二　つぎのことにも注意する必要がある。それは自然の出来事の随伴現象にもまた雅致と魅力があるということだ。(7) たとえばパンが焼けるときところどころに割れ目ができる。こういうふうにしてできた割れ目は、ある意味でパン屋の意図を裏切るものではあるが、しかしあるおもむきを持ち、不思議に食欲をそそる。また無花果《いちじく》も完全に熟すると口をひらく。今にも実の落ちようとしているオリーヴの樹においては、実が爛熟に近いために、かえってある美しさを帯びるものである。穀物の穂がしだれているのや、獅子の額の皮や、野猪の口から流れ出る泡や、その他多くのものは、これを一つ一つ切りはなして見ればとうてい美しくはないが、自然の働きの結果であるために、ものを美化するに役立ち、心を惹くのである。かように宇宙の中に生起することにたいする感受性とさらに深い洞察力を持っている人には、たとえほかのことの結果として生ずるにすぎぬものでさえも、なにか特殊な魅力を持たぬものはほとんどないように感ぜられるであろう。彼は現実の野獣が口をあんぐりあけたのを見ても、画家や彫刻家がこれを模倣して表現する作品をながめるにも劣らぬ快感を覚えるであろう。また彼の思慮深い眼《まなこ》をもってすれば、老いたる男女の中にもある力づよさと成熟の美を、若い者の中には愛らしい魅力を見出しうるであろう。これに類するものは沢山あるが、それは万人の心を惹くていのものではなく、ただ真に自然とそのわざに親しんだ者の心にのみ訴えるのであろう。

三　ヒッポクラテース[8]は多数の病人を癒してから、自分自身もわずらって死んだ。カルダイア人たち[9]は大勢の人間の死を予言したが、そのうちに運命は彼らをもつかまえてしまった。アレクサンドロス[10]やポンペイウス[11]やガーイウス・カエサル[12]等はいくたびも都市全体を殲滅させ、幾万もの騎兵や歩兵をこなごなに斬りまくったが、彼らもまたいつの日にか人生から去って行った。ヘーラクレイトス[13]は宇宙の最後の燃焼についてあれほど多くの研究をなしたが、結局体の中に水が一杯たまり、牛の糞にまみれて死んだ。デーモクリトス[14]は虱《しらみ》に殺され、ソークラテース[15]は他の害虫に殺された。

これはどういうことか。君は船に乗った。航海した。着陸した。上陸し給え。たとえ他の人生にはいるためだとしても、かしこにおいても何一つ神々を欠くものはないであろう。また無感覚な状態にはいるためだとすれば、君はもはや苦痛や快楽を耐え忍ぶ必要はなくなり、体という器《うつわ》に仕える必要もなくなる。この器は、これに奉仕するものよりも遥かにいやしい。なぜならば後者は叡智でありダイモーンであるが、前者は土であり凝血にすぎないからである。

四　公益を目的とするのでないかぎり、他人に関する思いで君の余生を消耗してしまうな。なぜならばそうすることによって君は他の仕事をする機会を失うのだ。すなわち、だれそれはなにをしているだろう、とか、なぜとか、なにをして、なにを考え、なにを企んでいるかとか、こんなことがみな君を呆然とさせ、自己の内なる指導理性《ト・ヘーゲモニコン》を注意深く見守る妨げとなるのだ。

したがって我々は思想の連鎖においてでたらめなことやむなしいことを避けなくてはならない。またそれにもましておせっかいや意地の悪いことはことごとく避けなくてはならない。そして突然ひとに「今君はなにを考えているのか」と尋ねられても、即座に正直にこれこれと答えることができるような、そんなことのみ考えるよう自分を習慣づけなくてはならない。このようにすればその返事によって、すべて君の内にあるものは単純で善意に富み、社会性を持つ人間にふさわしいものであることや、また君が快楽に無関心で、あらゆる享楽的な思いや競争意識や嫉妬や疑惑やその他すべて君が自分の心の中にあるというのを赤面するであろうようなことは、いっさい考えていないことがただちに明らかになるであろう。

まことにこのような人間は、つまりすでに今からもっとも優れた人間の一人であるべく努める人間は、いわば一種の祭司であり、神々の仕えびとであって、また自分の内に座を占める者にも奉仕するのである。その内なる者は人間が快楽に染まぬように、いかなる苦痛にも傷つかぬように、いかなる危害の手も届かぬように、いかなる悪にも無感覚であるように守り、彼を最大の競技――すなわちいかなる激情にも打ち負かされぬという競技における選手となし、また彼を正義の中に徹底的に浸して、すべての出来事や自分に運命づけられた事柄を心の底から歓迎するような人間となし、特に必要な場合や公共のための場合を除いては、他人が何をいい、何をおこない、何を考えているかについてめったに考えもしないようにする。このような人間は自分に関係したことのみを活動の対象となし、宇宙全体を織りなすものの中から自分にふりあてられているものについてたえず思いをひそめている。そして自分の務めはこれをよく果すようにつとめ、自分に与えられている運命は善であることを確信している。なぜならば、各人に与えられている運命は宇宙の秩序の中に含まれ、またその中に宇宙の秩序をも含むのである。

このような人間はすべて理性あるものは同胞であること、またあらゆる人の世話をすることが人間の自然の性にかなうことであることを記憶している。また我々はあらゆる人の意見を守るべきではなく、ただ自然に従って生きる人の意見のみを守るべきであることを記憶している。(16) そしてそういう生き方をしない人びとは家の内外で夜昼《よるひる》、どんな人間であるか、またどんな人間と交わっているか、――こういうことを彼はつねに念頭においている。であるからそういう人びとの賞讃などなんら問題にしない。というのはこういう連中は自分自身をさえ満足させられない人たちなのである。

五　何かするときいやいやながらするな、利己的な気持からするな、無思慮にするな、心にさからってするな。君の考えを美辞麗句で飾り立てるな。余計な言葉やおこないをつつしめ。なお君の内なる神をして男らしい人間、年輩の人間、市民であり、ローマ人であり、統治者である人間の主たらしめよ。その統治者は何ものにも縛られることなく、人生から呼びもどされる合図を待ちつつ、宣誓をも証人をも必要としない者としてその地位に就いたのである。曇りなき心を持ち、外からの助けを必要とせず、また他人の与える平安を必要とせぬように心がけよ。(人に)まっすぐ立たせられるのではなく、(自ら)まっすぐ立っているのでなくてはならない。

六　もし君が人生においてつぎのものよりも善いことを見出すならば、——すなわち正義、真理、節制、雄々しさ、要するに君の心が君にまっすぐな理性(17)にかなったことをさせてくれるごとに自分自身にたいしておぼえる満足や、自ら選ぶことなしに割りあてられた事柄について運命に満足していることなど——さよう、もし以上のことよりも何か善いものが発見できるならば、全心をもってそれに向かい、君の見つけた最善のものを享受するがよい。

しかしもし君の内に座を占めているダイモーンよりも善いものはないように思われるならば、――そのダイモーンは個人的な衝動をすべて自分の配下におき、もろもろの思念を検討し、ソークラテースのいったように(18)、感覚的な誘惑をのがれて、神々の支配の下に身をおき、人類のためにつくすものであるが――もし他のあらゆるものはダイモーンよりも小さく価値のないものに思われるならば、それ以外の何ものにも余地を与えるな。いったんほかのものに心をかたむけると、君自身のものであり、特に君に与えられたものであるこの善きものを、気をちらさずにもっとも大切にすることができなくなるであろう。つまり理性と公共精神という善きものにたいして、大衆の賞讃とか権力とか富とか快楽への耽溺のごとく本質の異なるものをいっさい対抗させてはならないのである。すべてこのようなものは、たとえしばらくの間我々の生活の中にうまくはまり込むように見えても、とつぜん我々を打ち負かし、道ならぬところへ我々をつれ去ってしまうものなのだ。

だから私はいうのだ、君は単純に、自由に、より善きものをえらび取り、これをしっかり守れ。「しかしより善いものとは有利なもののことだ。」もしそれが理性的存在としての自己に有利ならば、それを守るがよい。しかしもしそれが動物的存在としての自己に有利ならば、それをはっきりと表明して、思いあがることなく自分の判断を固守せよ。但しこの検討をあやまりなくおこなう注意が肝要である。

七　すべてつぎのようなことを君に強いるものは、自分に有利なものとしてこれを大切にしてはならない。たとえば信をうらぎること、自己の節操を放棄すること、他人を憎むこと、疑うこと、呪うこと、偽善者になること、壁やカーテンを必要とするものを欲すること等。なぜならば自分自身の理性と、ダイモーンと、その徳に帰依することとを何よりもまず選びとった者は、悲劇のまねごとをせず、泣き声を出さず、荒野をも群集をも必要としないであろう。なかんずく彼は何ものをも追いもせず避けもせずに生きるであろう。自分の魂が肉体に包まれている期間が長かろうと短かろうと、彼は少しもかまわない、なぜならば、もう今すぐにも去って行かなくてはならないとしても、慎みと秩序をもっておこないうるほかのことの場合と同じように、いさぎよく去って行くことであろう。一生を通じて彼の唯一の念願は、自分の思いがいかなる場合にも理性的な、市民的な存在としてふさわしくないことのないように、ということの一事なのである。

八　自ら自己を戒しめ潔《きよ》めた人間の精神の中には、膿瘍も、汚れも、表面はきれいでいて内部の膿《う》んでいる傷[19]のごときも、いっさい見られないであろう。悲劇役者が自分の役割を終えずに、劇を終りまで演じてしまわぬうちに舞台を去って行く場合に人がいうように、彼の一生が未完成の状態で運命の手につかまえられてしまうようなことはないのである。[20]またそこにはいささかの奴隷根性やわざとらしさもなく、他人にたいする依頼心もなければ離反もなく、責任を問わるべきこともなければ、こそこそ穴の中に隠れることもないのである。

九　意見を作る能力を畏敬せよ。自然にたいして、また理性的存在としての構成素質[21]にたいしてふさわしくない意見が(我々の)指導理性の中に生ぜぬようにする役目は、ひとえにこの能力の上にかかっているのだ。またこの能力こそ(我々が)軽率になるのを防ぎ、人間にたいする親しみと神々にたいする服従とを約束するのである。

一〇　ほかのものは全部投げ捨ててただこれら少数のことを守れ。それと同時に記憶せよ、各人はただ現在、この一瞬間にすぎない現在のみを生きるのだということを。その他はすでに生きられてしまったか、もしくはまだ未知のものに属する。ゆえに各人の一生は小さく、彼の生きる地上の片隅も小さい。またもっとも長く続く死後の名声といえども小さく、それもすみやかに死に行く小人どもが次々とこれを受けついで行くことによるにすぎない。その小人どもは自己を知らず、まして大昔に死んでしまった人間のことなど知る由もないのである。

二　前述の原則のほかにもう一つ付け加えるがよい。すなわち念頭に浮ぶ対象についてかならず定義または描写をおこなってみること。そうすれば、すべての付加物を取り除き、その対象だけを裸にして全体としてながめ、それが本質的にどんなものであるかを見ることができるし、その固有の名前とそれを構成する要素、すなわちやがて分解すると再びそれに還元してしまうところの要素の名前を自分にいってみることができよう(22)。

まことに人生において出遭う一つ一つのものについて、組織的に誠実に検討しうることほど心を偉大にするものはない。その対象がどんな宇宙にたいしてどんな効用を持っているのか、全体にたいしてどんな価値を持っているのか、人間――最高の国家の市民であり、その国家と比べればほかの国家はみなその中の家にすぎないようなものだが――にたいしてどんな価値を持っているかを考察し、それが何であるか、どんな要素から構成されているか、現在私にこういう印象を与えているこの対象はどれだけの間このままで存続するか、これにたいして私はいかなる徳を必要とするか、――たとえば優しさ、雄々しさ、真実、信義、単純、自足、その他――等以上の点を考察しうるように、常々そんなふうに個々の対象を見ることほど心を偉大にするものはないのである。

したがって君は各々の場合にこういわなくてはならない。「これは神から来たものである。ところがこちらの方は運命の組合せとか種々な出来事の錯綜とか何かそうしたまわりあわせや偶然によるものである。またこれは同胞で親類で仲間である者から来たものである。彼は何が自分の自然の性に適《かな》ったことであるかを知らない。ところが私はそれを知らないわけではない。だから私は善隣の自然な法則に従って好意と正義をもって彼を遇する。しかしこれと同時に(善くも悪くもないいわゆる)中間《メサ》の事柄(23)については、それぞれその価値相応のところをねらい当てようとするのである。」

三　もし君が目前の仕事を正しい理性に従って熱心に、力強く、親切におこない、決して片手間仕事(24)のようにやらず、自分のダイモーンを今すぐにもお返ししなくてはならないかのように潔くたもつならば、またもし君がこのことをしっかりつかみ、何ものをも待たず、何ものをも避けず、自然に適った現在の活動に満足し、ものをいう場合にはいにしえの英雄時代のような真実をもって語ることに満足するならば、君は幸福な人生を送るであろう。誰一人それを阻《はば》みうる者はない。

一三　医者がつねに救急処置用の器具やメスを手許に所持しているように、君もつねに君の信条を用意して神のこと人間のことを理解し、些細なことといえどもすべてこの両者間の相互の関連を意識しつつおこなえるようにしておくがよい。なぜならばいかなる人間的な事柄といえどもこれを神的なことに関係づけなくてはうまくおこなうことはできないし、その逆も同じである。

一四　これ以上さまよい歩くな。君はもう君の覚書(25)や古代ローマ・ギリシア人の言行録や晩年のために取っておいた書物の抄録などを読む機会はないだろう。だから終局の目的に向かっていそげ。そしてもし自分のことが気にかかるならば、空しい希望を棄てて許されている間に自分自身を救うがよい。

一五　人はつぎのことにどれだけ多くの意味があるか知らない。たとえば盗む、種を蒔《ま》く、買う、平静にしている、何をおこなうべきかを見る等。これは眼で見えることではなく、ある別な種類の視力でわかることなのだ。

一六　身体、霊魂、叡智、身体には感覚、霊魂には衝動、叡智には信念。感覚を通して印象を受けることは家畜どもにも見られる。衝動の糸にあやつられることは野獣や女のような男やパラリス(26)やネロー(27)でもやる。また義務と思われることに向かって叡智を導き手となすことは、神々を否定する者や、祖国を見棄てる人間や、戸を閉めてから(28)万事をおこなう連中でもやることだ。

さてもしすべて他のことは以上のものに共通だとすると、善い人間に特有なものとして残るのは、種々の出来事や、自分のために運命の手が織りなしてくれるものをことごとく愛し歓迎することである。また自分の胸の中に座を占めているダイモーンをけがしたり、多くの想念でこれを混乱させたりせずに、これを清澄にたもち、秩序正しく神に従い、一言たりとも真理にもとることを口にせず、正義に反する行動をとらぬことである。そして自分が誠実に、謙遜に、善意をもって生活しているのをたとえ誰も信じてくれなくとも、誰にも腹を立てず、人生の終局目的に導く道を踏みはずしもしない。その目的に向かって純潔に、平静に、何の執着もなく、強いられもせずに自ら自己の運命に適合して歩んで行かなくてはならないのである。

第四巻

一　我々の内なる主が自然に従っている際には、〔できうるかぎり、〕許されるかぎり、出来事にたいしてつねにたやすく適応しうるような態度を取るものである。なぜならば、彼は特にこれという一定の素材[1]を好むわけではなく、その目的に向かって、ある制約の下[2]に前進する。そしていかなる障碍物にぶつかろうともこれを自分の素材となしてしまう。この点あたかも火が投げ込まれたものを捕える場合に似ている。小さな灯りならば、これに消されてしまうであろうが、炎々と燃える火は、持ち込まれたものをたちまち自分のものに同化して焼きつくし、投げ入れられたものによって一層高く躍りあがるのである。

二　いかなる行動もでたらめにおこなうな。技術の完璧を保証する法則に従わずにはおこなうな。

三　人は田舎や海岸や山にひきこもる場所を求める。君もまたそうした所に熱烈にあこがれる習癖がある。しかしこれはみなきわめて凡俗な考え方だ。というのは、君はいつでも好きなときに自分自身の内にひきこもることができるのである。実際いかなる所といえども、自分自身の魂の中にまさる平和な閑寂な隠家《かくれが》を見出すことはできないであろう。この場合、それをじいっとながめているとたちまち心が完全に安らかになってくるようなものを自分の内に持っていれば、なおさらのことである。そして私のいうこの安らかさとはよき秩序にほかならない。であるから絶えずこの隠家を自分に備えてやり、元気を回復せよ。そして(そこには)簡潔であって本質的である信条を用意しておくがよい。そういう信条ならば、これに面と向かうや否やただちにあらゆる苦しみを消し去り、君が今まで接していたことにたいして、何の不服もいだかずにこれにもどって行けるようにして返してくれるだけの力は、充分持っているであろう。

ところでいったい何にたいして君は不満をいだいているのか。人間の悪にたいしてか。つぎの結論を思いめぐらすがよい。理性的動物は相互のために生まれたこと、互いに忍耐し合うのは正義の一部であること、人は心ならずも罪を犯してしまうこと。また互いに敵意や疑惑や憎悪をいだき、槍で刺し合った人びとが今までにどれだけ墓の中に横たえられ、焼かれて灰になってしまったかを考えてみるがよい。そしてもういいかげんで心を鎮めたらどうだ。

しかし君は全体の中から自分に割りあてられていることにたいして不満を持っているというのか。つぎの選言命題を思い起すがよい。「摂理か原子か。」(3)また宇宙は国家に似たものであるということがどれだけ多くの事実によって証明されているかを思い起すがよい。

それとも肉体のことが君を未だにつかまえて放さないのか。ひとたび叡智が自己を取りもどし、自己の威力を知ったときには、平らかにまたは荒々しく動く息《いき》(4)になんの関わりも持たないことを思え。また苦痛や快楽について君が聞きかつ同意したところのこと(5)をことごとく思い浮べよ。

それともつまらぬ名誉欲が君の心を悩ますのであろうか。あらゆるものの忘却がいかにすみやかにくるかを見よ。またこちら側にもあちら側にも永遠の深淵の横たわるのを、喝采の響きの空しさを、我々のことをよくいうように見える人びとの気の変りやすいこと、思慮のないことを、以上のものを囲む場所の狭さを。全く地球全体が一点にすぎないのだ。そして我々の住む所はこの地球のなんと小さな片隅にすぎぬことよ。そこでどれだけの人間が、またどんな人間が、将来君を賞《ほ》めたたえるというのであろうか。

であるからこれからは、君自身の内なるこの小さな土地に隠退することをおぼえよ。

何よりもまず気を散らさぬこと、緊張しすぎぬこと、自由であること。そして男性として、人間として、市民として、死すべき存在として物事を見よ。そして君が心を傾けるべきもっとも手近な座右の銘のうちに、つぎの二つのものを用意するがよい。その一つは、事物は魂に触れることなく外側に静かに立っており、わずらわしいのはただ内心の主観からくるものにすぎないということ。もう一つは、すべて君の見るところのものは瞬く間に変化して存在しなくなるであろうということ。そしてすでにどれだけ多くの変化を君自身見とどけたことか、日夜これに思いをひそめよ。

宇宙即変化。人生即主観。(6)

四　もし叡智が我々に共通なものならば、我々を理性的動物となすところの理性もまた共通なものである。であるならば、我々になすべきこと、なしてはならぬことを命令する理性(7)もまた共通である。であるならば、法律もまた共通である。であるならば、我々は同市民である。であるならば、我々は共に或る共通の政体に属している。であるならば、宇宙は国家のようなものだ。(8)なぜならば人類全体が他のいかなる政体に属しているといえようか。であるから我々はこの共同国家から叡智的なもの、理性的なもの、法律的なものを与えられているのである。でなければどこからであろう。あたかも私の存在の土の部分はどこかの土から分割され、水の部分はほかの元素から、空気の部分はどこかの源泉から、熱と火の部分はさらに別の固有の源泉から分割されているように——なぜなら何ものも無から生ぜず、同様に何ものも無にかえらないのである——そのように叡智もまたどこからかきたのである。

五　死は誕生と同様に自然の神秘である。同じ元素の結合、その元素への〔分解〕であって、恥ずべきものでは全然ない。なぜならそれは知的動物にふさわぬことではなく、また彼の構成素質の理法にもふさわぬことではないからである。

六　このような人びと(9)であって見れば、彼らの手で自然にこういうことが起るのは止むをえぬ話である。これをいやだというのは、無花果《いちじく》が酸っぱい汁を持っていなければよい、というのと同様である(10)。要するにつぎのことを思い浮べるがよい。きわめてわずかな時間の中に、君もあの人間も死んでしまい、その後間もなく君たちの名前すらあとに残らないであろうということを。

七 「自分は損害を受けた」という意見を取り除くがよい。(11) そうすればそういう感じも取り除かれてしまう。「自分は損害を受けた」という感じを取り除くがよい。そうすればその損害も取り除かれてしまう。

八 人間自身を悪くしないものは彼の生活をも悪くはしない。またこれを外側からも内側からも損なわない。

九 有益なるものの本性は必然的にかく働かざるをえないのだ。

一〇 すべての出来事は正しく起る。もし君が注意深く観察するならばこのことを発見するであろう。私がいうのは単にことの成行きとして起るというのではなく、正義にしたがってであり、またあたかもある者がめいめいにその価値にしたがって分け前を与えるかのように起るというのである。だから君がすでにやり出したように、その調子で観察しつづけなさい。そして君が何をするにしても、もっとも厳密な意味において善い人間であろうという、そういう心がまえでやれ。このことはあらゆる活動をするにあたって守るがよい。

二　君に害を与える人間がいだいている意見や、その人間が君にいだかせたいと思っている意見をいだくな。あるがままの姿で物事を見よ。

三　つぎの二つの思念をつねに手許に用意しておくべきである。その一つは、王として立法者としての理性が、人間の利益のためになせと君に命ずることのみおこなうこと。もう一つは、もし誰か君のそばにいて、君のひとりよがりの考えをただし、これを変えさせようとする人がいたら、考えを変えること。但しこの変化はつねにそれが正しいことであるとか、一般の人びとの利益であるとかいう確信によるものであるべきで、——動機はこれに類したことにかぎる——そのほうが愉快そうだ、とか人気がありそうだ、とかいうのであってはならない。

一三　君は理性を持っているのか？「持っている。」それならなぜそれを使わないのか。(12)もしそれがその分を果しているならば、そのうえ何を望むのか。

一四　君は全体の一部として存続してきた。君は自分を生んだものの中に消え去るであろう。というよりはむしろ変化によってその創造的理性[13]の中に再び取りもどされるのであろう。

一五　沢山の香の粒が同じ祭壇の上に投げられる。あるものは先に落ち、あるものは後に落ちる。しかしそれはどうでもよいことだ。

一六　君が自己の信条とするところに立ちもどり、理性を尊ぶ心にかえりさえすれば、現在君を野獣か猿のように思っている者どもも、十日も経たぬ中に君を神様のように思うだろう。

一七　あたかも一万年も生きるかのように行動するな。不可避のものが君の上にかかっている。生きているうちに、許されている間に、善き人たれ。

一八　隣人がなにをいい、なにをおこない、なにを考えているかを覗き見ず、自分自身のなすことのみに注目し、それが正しく、敬虔であるように慮《おもんぱか》る者は、なんと多くの余暇を得ることであろう。〔他人の腹黒さに眼を注ぐのは善き人にふさわしいことではない。(14)」目標に向かってまっしぐらに走り、わき見するな。

一九　死後の名声について胸をときめかす人間はつぎのことを考えないのだ。すなわち彼をおぼえている人間各々もまた彼自身も間もなく死んでしまい、ついでその後継者も死んで行き、燃え上がっては消え行く松明《たいまつ》のごとく彼に関する記憶がつぎからつぎへと手渡され、ついにはその記憶全体が消滅してしまうことを。しかしまた記憶する人びとが不死であり、その記憶も不朽であると仮定してみよ。いったいそれが君にとってなんであろうか。いうまでもなく、死人にとっては何ものでもない。また生きている人間にとっても、賞讃とはなんであろう。せいぜいなにかの便宜になるくらいが関の山だ。ともかく君は現在自然の賜物をないがしろにして時機を逸し、将来他人がいうであろうことに執着しているのだ。(15)

二〇　なんらかの意味において美しいものはすべてそれ自身において美しく、自分自身に終始し、賞讃を自己の一部とは考えないものだ。実際人間は賞められてもそれによって悪くも善くもならない。一般に美しいといわれているもの、たとえば天然の物資や人工的な製作品などについても同じことがいえる。してみれば美しいものはなにかそれ以上のものを必要とするか。否、それは法律や真理や善意や慎みの場合と少しも変らない。これらのものの中のなにがいったい賞められるから美しく、非難されるから悪くなるであろうか。エメラルドは賞められなければ質が落ちるか。金、象牙、紫貝《ポルピュラー》、竪琴、短刀、小花、灌木等はどうか。

二　もし魂が(死後も)みな存続するならば、いかにして空気はこれらの魂を永遠の昔から包含しているのであろうか。いかにして地球はそんな永遠の昔から葬られた人びとの身体を包含しているのであるか。地上においてはこれらの身体がしばらく土の中に滞在した後、変化し分解して他の死体に場所をあけるが、ちょうどそのように魂も空気の中に移されてからしばらくの間そのままでいて、やがて変化し、飛散し、宇宙の創造的理性に取りもどされ、そういうやり方でそこへ住処《すみか》を求めに来る人たちに場所を備えるのである。魂が死後も存続するという仮定をすれば、以上が人に与えうる答えである。

このようにして葬られる人びとの数知れぬ身体のみではなく、日々我々やほかの動物に食べられてしまう動物のことも考えに入れなくてはならない。かように食べられて、いわばこれを食べる者の身体の中に埋葬されてしまう動物の数はどんなであろう。(16)それにもかかわらず、彼らが血になったり、空気や火に変ってしまうことによって彼らすべてに場所ができるのだ。
この点に関して真理を見出す道はなにか。物質《ト・ヒューリコン》と形相因《ト・アイティオーデス》[17]とを分けることだ。

二二　渦巻に足をさらわれてしまうな。あらゆる衝動において[18]正義の要求するところに添い、あらゆる思念において理解力[19]を堅持せよ。

二三　おお宇宙よ、すべて汝に調和するものは私にも調和する。汝にとって時をえたものならば、私にとって一つとして早すぎるものも遅すぎるものもない。おお自然よ、すべて汝の季節のもたらすものは私にとって果実である。すべてのものは汝から来り、汝において存在し、汝へ帰って行く。ある人はいう「親愛なるケクロプスの都よ！[20]」と。君はつぎのようにいわないのか。「おお親愛なるゼウス[21]の神の都よ！」と。

二四　「もし心安らかにすごしたいならば、多くのことをするな[22]」という。こういったほうがよくはないだろうか。「必要なことのみをせよ。また社会的生活を営むべく生まれついた者の理性が要求するところのものをすべてその要求するがままになせ。」なぜならば、これは善い行為をすることからくる安らかさのみならず、少しのことしかしないということからくる安らかさをもたらす。というのは我々のいうことやなすことの大部分は必要事ではないのだから、これを切り捨てればもっと暇ができ、いらいらしなくなるであろう。それゆえにことあるごとに忘れずに自分に問うてみるがよい。「これは不必要なことの一つではなかろうか」と。しかし我々は単に不必要な行為のみならず、不必要な思想をも切捨てなくてはならない。そうすれば余計な行為もひき続いて起ってくる心配はないであろう。

二五　「全体」の中から自分に割りあてられた分に満足している人、自分自身の行為を正しくし、態度を善意にみちたものにすることで満足している人、このような善い人の生活がうまくいくかどうか君もやってみよ。

二六　あれを見たか。しからばこれも見よ。いらいらするな。自分を単純にせよ。ひとが罪を犯すか。彼は自分自身にたいして罪を犯すのだ。(23) 君に何事か起ったか。よろしい。すべて起ってくることはそもそもの初めから「全体」の中で君に定められ君の運命の中に織り込まれたことなのだ。要するに人生は短い。正しい条理と正義をもって現在を利用しなくてはならない。くつろぎの時にもまじめであれ。

二七　きちんと整頓された秩序があるか、もしくは雑然たるごたまぜか、そのいずれかだ。しかし後者の場合にもともかく一つの秩序はある。でなければ、「全体」の中には無秩序が支配しているのに君の中には一種の秩序が存続している、ということがありえようか。(24)しかもすべてのものがこのように分離し、分散しながら、なお調和しているというのに?

二八　腹黒い性質、女々しい性質、頑固な性質、獰猛、動物的、子供じみている、まぬけ、ペテン、恥知らず、欲ばり、暴君。

二九　宇宙の中にある物を知らない人間は宇宙の中の異邦人だとすれば、その中で起ることを知らぬ人間もまたこれに劣らず異邦人である。(25)市民的理性から遠ざかる者はさすらいびとである。叡智の眼をとじている者は盲目である。他人に依存し、生活に必要なものをすべて自分の懐から出せぬ者は乞食である。起ってくることにたいして不満であるために、我々に共通の自然の理性に背を向け、これから離反する者は宇宙の膿瘍である。(26)なぜならばその出来事をもたらしたのと同じ自然が、君をもたらしたのである。

自分固有の魂をすべて理性あるものの魂から切りはなす者は社会から切断された肢のようなものだ、なぜならば魂は一つであるから。

三〇　一人の哲学者はシャツなしで暮し、一人は書物なしで、もう一人は半裸でいる。彼はいう「私はパンを持っていない、しかし理性にたいする忠誠を守っている。」私はいう「私は学問から生活の資を得ていない、しかし理性にたいする忠誠を守っている。[27]」

三一　君のおぼえた小さな技術をいつくしみ、その中にやすらえ。そして自分のすべてを心の底から神々に委ねた者、またいかなる人間にたいしても自分を暴君にも奴隷にもなしえなかった者のごとく余生を送れ。

三二　たとえばウェスパシアーヌス[28]の時代のことを考えてみよ、そうすればつぎのようなものを残らず見出すだろう。結婚したり、子供を育てたり、病んだり、死んだり、戦争をしたり、祭日を祝ったり、商売をしたり、耕したり、へつらったり、高ぶったり、疑ったり、陰謀を企てたり、誰かが死ぬように祈ったり、現在与えられているものにたいしてぶつぶついったり、愛したり、貯め込んだり、執政官の地位や王位を欲しがったりする人びと。ところがこういう人びとの生活はその痕跡すら残っていないのだ。

つぎにトラヤーヌス(29)の時代に移ってみよ。そこでもなにからなにまで同じことだ。その生活もまた逝ってしまった。同様にいろいろな時代や国々全体のほかの記録をながめてみるがよい。そうすればいかに多くの人間が力のかぎりをつくして努力したのち間もなく倒れ、元素に分解して溶けてしまったかを見るであろう。特に君が自ら知っていた人びとを思い起してみるべきである。その人びとは空しいもののために力をつくし、自分自身の構成素質にふさわしいことをおこなうこと、これをたゆみなく固守すること、またこれに満足することを怠った。

ここで忘れてはならないのは、各活動に向けられる心やりには、それぞれ固有の評価と釣合があるべきことである。そうすれば君も小さなことに必要以上従事しなかったとしても落胆しないだろう。

三三　昔使われていた表現は今ではもうすたれてしまった。同様に昔大いにうたわれた名前もある意味で今はすたれた。たとえばカミッルス(30)、カエソー(31)、ウォレスス(32)、デンタートゥス(33)や後のスキーピオー(34)、カトー(35)、それからまたアウグストゥス(36)、ハードリアーヌス(37)とアントーニーヌス(38)。すべてすみやかに色あせて伝説化し、たちまちまったき忘却に埋没されてしまう。しかも私はこのことを、この世で驚くばかりに光輝を放った人びとについていっているのだ。なぜならばそのほかの人びとは息をひき取るや否や「姿も見えず、知る者もなし(39)」なのだから。それに永遠の記憶などということは、いったいなにか。まったく空しいことだ。では我々の熱心を注ぐべきものはなんであろうか。ただこの一事、すなわち正義にかなった考え、社会公共に益する行動、嘘のない言葉、すべての出来事を必然的なものとして、親しみあるものとして、また同じ源、同じ泉から流れ出るものとして歓迎する態度である。

三四　すすんでクロートー(40)に身を捧げ、彼女をしてなんなりと好きなことのために君の糸をつむがしめよ。

三五　すべてかりそめにすぎない。おぼえる者もおぼえられる者も。

三六　万物が変化によって生ずるのを夜昼《よるひる》となく眺め、宇宙の自然は現在あるものを変化させ、同じものを新しく作り出すことをなによりも好むのだ、という考えに慣れるがよい。なぜならばある意味において、現在存在するものはすべて将来それから生ずるであろうものの種子《たね》(41)なのである。ところが君は種子とはただ地の中や胎の中に蒔《ま》かれるものだけをいうのだと思っている。実にひどい俗見だ。

三七　間もなく君は死んでしまう。それなのに君はまだ単純でもなく、平静でもなく、外的な事柄によって害を受けまいかという疑惑から解放されてもおらず、あらゆる人にたいして善意をいだいているわけでもなく、知恵はただ正しい行動をなすにありと考えることもしていないのだ。

三八　彼らの指導理性《ト・ヘーゲモニコン》を注意深くながめ、賢者の避けるものはなにか、追い求めるものはなんであるかを見よ。

三九　君の不幸は他人の指導理性の中に存するわけではない。また君の環境の変異や変化の中にあるわけでもない。しからばどこにあるか。なにが不幸であるかについて判断を下す君の能力の中にある。ゆえにその能力をして判断を控えさしめよ、しからばすべてがよくなるであろう。たとえそのもっとも近い隣人、すなわち小さな肉体が切断され、焼かれ、化膿し、壊疽《えそ》に陥っても、これらのことについて判断を下す部分をして平安であらしめよ。すなわち悪人にも善人にも同じように起りうることを、悪とも善とも判断せしむるな。なぜならば自然に反した生活をなす者の上にも自然にかなった生活をなす者の上にも同じように起ってくる事柄は、自然にかなうことでもなければ自然に反することでもないのである。

四〇　宇宙は一つの生きもので、一つの物質と一つの魂を備えたものである、ということに絶えず思いをひそめよ。またいかにすべてが宇宙のただ一つの感性に帰するか、いかに宇宙がすべてをただ一つの衝動からおこなうか、いかにすべてがすべて生起することの共通の原因となるか、またいかにすべてのものが共に組み合わされ、織り合わされているか、こういうことをつねに心に思い浮べよ。

四一　エピクテートスがいったように(42)「君は一つの死体をかついでいる小さな魂にすぎない。」

四二　変化することは物事にとって悪いことではない。同様に変化の結果として存続することは物事にとって善いことではない。

四三　時というものはいわばすべて生起するものより成る河であり奔流である。あるものの姿が見えるかと思うとたちまち運び去られ、他のものが通って行くかと思うとそれもまた持ち去られてしまう。

四四　あらゆる出来事はあたかも春の薔薇《ばら》、夏の果実のごとく日常茶飯事であり、なじみ深いことなのだ。同様のことが病や死や讒謗《ざんぼう》や陰謀やすべて愚かな者を喜ばせたり悲しませたりする事柄についてもいえる。

四五　後に続いて来るものは前に来たものとつねに密接な関係を持っている。なぜならばこれは単にものを別々に取り上げて数えあげ、それがただ不可避的な順序を持っているにすぎないというような場合とは異なり、そこには合理的な連絡があるのである。そしてあたかもすべての存在が調和をもって組み合わされているように、すべて生起する事柄は単なる継続ではなくある驚くべき親和性を現わしているのである。

四六　つねにヘーラクレイトスの言葉をおぼえていること。曰く「地の死は水になることにあり。水の死は空気になることにあり。空気の死は火になることにあり。そしてまた逆に。[43]」また同じく記憶すべきものとしてつぎのものがある。「自分の道がどこへ向かっているかを忘れる者。[44]」また「人びとは彼らがもっとも絶え間なく交わっているもの（すなわち「全体」を支配している理性）と不和であり、毎日出逢う事柄を意外なものと考えている。[45]」また「我々は眠っている者のごとく行動したり口をきいたりしてはならない。[46]」というのは眠っているときでも我々は行動したり口をきいたりしているように思われるからだ。またその際〔……の倅[47]〕のようであってはならない。すなわち単に祖先から伝えられた通りにやるのであってはならない。

四七　もしある神が君に「お前は明日か、またはいずれにしても明後日には死ぬ」といったとしたら、君がもっとも卑劣な人間でないかぎり、それが明日であろうと明後日であろうとたいして問題にしないだろう。というのは、その間の期間などなんと取るに足らぬものではないか。これと同様に何年も後に死のうと明日死のうとたいした問題でないと考えるがよい。

四八　絶えずつぎのことを心に思うこと。すなわちいかに多くの医者が何回となく眉をひそめて病人たちを診察し、そのあげく自分自身も死んでしまったことか。またいかに多くの星占術者が他人の死をなにか大変なことのように予言し、いかに多くの哲学者たちが死や不死について際限もなく議論をかわし、いかに多くの将軍が多くの人間を殺し、いかに多くの暴君がまるで不死身でもあるかのように恐るべき傲慢をもって生と死の権力をふるい、そのあげく死んでしまったことか。またいかに多くの都市全体が、いわば死んでしまったことか、たとえばヘリケー(48)やポンペイイーやヘルクラーネウム(49)やその他無数の都市である。

その上また君自ら知っている人たちがつぎからつぎへと死んで行ったのを考えてみよ。ある人は他の人の湯灌《ゆかん》をしてやり、それから自分自身ほかの人の手で墓に横たえられ、つぎには別の人が墓に入れられた。しかもこれがすべて束の間の事柄なのである。要するに人間に関することはすべていかにかりそめでありつまらぬものであるかを絶えず注目することだ。昨日は少しばかりの粘液(50)、明日はミイラか灰。だからこのほんのわずかの時間を自然に従って歩み、安らかに旅路を終えるがよい。あたかもよく熟れたオリーヴの実が、自分を産んだ地を讃《ほ》めたたえ、自分をみのらせた樹に感謝をささげながら落ちて行くように。

四九　波の絶えず砕ける岩頭のごとくあれ。岩は立っている、その周囲に水のうねりはしずかにやすらう。(51)「なんて私は運が悪いんだろう、こんな目にあうとは！」否、その反対だ、むしろ「なんて私は運がいいのだろう。なぜならばこんなことに出会っても、私はなお悲しみもせず、現在におしつぶされもせず、未来を恐れもしていない」である。なぜなら同じようなことは万人に起りうるが、それでもなお悲しまずに誰でもいられるわけではない。それならなぜあのことが不運で、このことが幸運なのであろうか。いずれにしても人間の本性の失敗でないものを人間の不幸と君は呼ぶのか。そして君は人間の本性の意志に反することでないことを人間の本性の失敗であると思うのか。いや、その意志というのは君も学んだはずだ。君に起ったことが君の正しくあるのを妨げるだろうか。またひろやかな心を持ち、自制心を持ち、賢く、考え深く、率直であり、謙遜であり、自由であること、その他同様のことを妨げるか。これらの徳が備わると人間の本性は自己の分を全うすることができるのだ。今後なんなりと君を悲しみに誘うことがあったら、つぎの信条をよりどころとするのを忘れるな。曰く「これは不運ではない。しかしこれを気高く耐え忍ぶことは幸運である。」

五〇　死を蔑視するために、俗っぽくはあるが、しかし効果のある助けは、執拗に人生に執着した人びとを思い出してみることだ。夭折《ようせつ》した人びととくらべて彼らの方がなにか得《とく》をしているだろうか。なんといっても結局彼らはどこかに埋められているのだ、カディキアーヌス[52]やファビウス[53]やユーリアーヌス[54]やレピドゥス[55]やその他同類は。彼らは大勢の人間を墓場へ運んだが、ついには自分も墓場へ運ばれてしまったのだ。だから結局その時間の相違は短いものだ、しかもその期間どれだけの苦労を経て、どんな仲間と一緒に、どんな身体の中で過したことであろう。だからこれを問題にするな。君のうしろに永遠の時の淵《ふち》が口を開けているのを見よ、また前にもう一つの無限のあるのを。[56]この無限の中で、三日の赤児もネストール[57]の三倍も長生きした人間もなんのちがいがあろうか。

五一　つねに近道を行け。[58]近道とは自然に従う道だ。そうすればすべてをもっとも健全に言ったりおこなったりすることができるであろう。なぜならばこのような方針は、〔労苦や争いや、ひかえ目にしておくとか虚飾を避けるとかいうすべての心づかいから[59]〕君を解放するのである。

第五巻

一　明けがたに起きにくいときには、(1)つぎの思いを念頭に用意しておくがよい。「人間のつとめを果すために私は起きるのだ。」自分がそのために生まれ、そのためにこの世にきた役目をしに行くのを、まだぶつぶついっているのか。それとも自分という人間は夜具の中にもぐりこんで身を温めているために創られたのか。「だってこのほうが心地よいもの。」では君は心地よい思いをするために生まれたのか、いったい全体君は物事を受身に経験するために生まれたのか、それとも行動するために生まれたのか。(2)小さな草木や小鳥や蟻や蜘蛛や蜜蜂までがおのがつとめにいそしみ、それぞれ自己の分を果して宇宙の秩序を形作っているのを見ないのか。

しかるに君は人間のつとめをするのがいやなのか。自然にかなった君の仕事を果すために馳せ参じないのか。「しかし休息もしなくてはならない。」それは私もそう思う、しかし自然はこのことにも限度をおいた。同様に食べたり飲んだりすることにも限度をおいた。ところが君はその限度を越え、適度を過ごすのだ。しかも行動においてはそうではなく、できるだけのことをしていない。

結局君は自分自身を愛していないのだ。もしそうでなかったらば君はきっと自己の(内なる)自然とその意志を愛したであろう。ほかの人は自分の技術を愛してこれに要する労力のために身をすりきらし、入浴も食事も忘れている。ところが君ときては、款彫《ひだぼり》師が彫金を、舞踊家が舞踊を、守銭奴が金を、見栄坊がつまらぬ名声を貴ぶほどにも自己の自然を大切にしないのだ。右にいった人たちは熱中すると寝食を忘れて自分の仕事を捗《はかど》らせようとする。しかるに君には社会公共に役立つ活動はこれよりも価値のないものに見え、これよりも熱心にやるに値しないもののように考えられるのか。

二　すべて心をみだすような考えや親しみのうすい考えを追い払って抹殺し、ただちに完全な平安(3)にはいるのはなんとたやすいことであろう。

三　すべて自然にかなう言動は君にふさわしいものと考えるべし。その結果生ずる他人の批評や言葉のために横道にそれるな。もしいったりしたりするのが善いことなら、それが自分にとってふさわしくないなどと思ってはならない。他人はそれぞれ自分自身の指導理性《ト・ヘーゲモニコン》を持っていて、自分自身の衝動に従っているのだ。君はそんなことにはわき目もふらずにまっすぐ君の道を行き、自分自身の自然と宇宙の自然とに従うがよい。この二つのものの道は一つなのだから。

四　私は自然にかなう道を歩み、ついに時が来れば倒れて休息し、毎日吸い込んでいた空気の中へ最後の息を吐き出し、私の父が種を、母が血を、(4)乳母が乳を汲みとった地の上に倒れるであろう。その地から私はこの長年月の間毎日食物を得、飲物を得ている。また私はその上を歩き、いろいろなふうにこれを利用しているが、その私を地は支えていてくれるのである。

五　君の頭の鋭さは人が感心しうるほどのものではない。よろしい。しかし「私は生まれつきそんな才能を持ち合せていない」と君がいうわけにいかないものがほかに沢山ある。それを発揮せよ、なぜならそれはみな君次第なのだから、たとえば誠実、謹厳、忍苦、享楽的でないこと、運命にたいして呟かぬこと、寡欲、親切、自由、単純、真面目、高邁な精神。今すでに君がどれだけ沢山の徳を発揮しうるかを自覚しないのか。こういう徳に関しては生まれつきそういう能力を持っていないとか、適していないとかいい逃れするわけにはいかないのだ。それなのに君はなお自ら甘んじて低いところに留まっているのか。それとも君は生まれつき能力がないために、ぶつぶついったり、けちけちしたり、おべっかをいったり自分の身体にあたりちらしたり、人に取入ったり、ほらを吹いたり、そんなにも心をみださねばならないのか。否、神々に誓って否。とうの昔に君はこういう悪い癖から足を洗ってしまうことができたはずなのだ。そしてなにか責められるとすれば、ただのろまでわかりが鈍いということだけいわれるので済んだはずなのだ。しかもこの点についてもなお修養すべきであって、この魯鈍《ろどん》さを無視したり楽しんだりしてはならない。

六　ある人は他人に善事を施した場合、ともすればその恩を返してもらうつもりになりやすい。第二の人はそういうふうになりがちではないが、それでもなお心ひそかに相手を負債者のように考え、自分のしたことを意識している。ところが第三の人は自分のしたことをいわば意識していない。彼は葡萄《ぶどう》の房をつけた葡萄の樹に似ている。葡萄の樹はひとたび自分の実を結んでしまえば、それ以上なんら求むるところはない。あたかも疾走を終えた馬のごとく、獲物を追い終《おお》せた犬のごとく、また蜜をつくり終えた蜜蜂のように。であるから人間も誰かによくしてやったら、〔それから利益をえようとせず〕別の行動に移るのである。あたかも葡萄の樹が、時が来れば新たに房をつけるように。

「ではいわば無意識でそういうことをする人たちの一人でなくてはならないのですね。」

「さよう。」

「しかしこれこそ意識しなくてはならんでしょう。なぜならば、社会的性質をそなえた人間に固有な特徴として、自分が社会公共に益するような行動をしていることを自覚し、そして、いやまったくゼウスの神にかけて申しますが、相手にもそのことを感じてもらいたく思うものだというではありませんか。」

「御説の通りだ。しかし君は私の言葉を誤解している。そのために君も私が前にいった人たちの仲間にはいってしまうよ。なぜならあの連中ももっともらしく見える理屈のために迷わされているのだから。しかしもし君が私のいったことの意味を身につけたいと思うなら、そのために公益的行為がおろそかになるようなことにはならないから心配するな。」

七　アテーナイ人たちの祈り。「雨を、雨を、おお恵み深きゼウスよ、アテーナイの人びとの野と畑の上に。」全然祈らないか、それともこういうふうに単純に、率直に祈るか、そのいずれかを採るべきである。(5)

八　人はいう。「アスクレーピオス(6)はある人に乗馬を、あるいは冷水浴を、あるいは素足で歩くことを処方した」と。ちょうどそのようにこうもいえる。「宇宙の自然はある人に病気を、あるいは不具になることを、あるいはなにかを失うことを、あるいはその他同様のことを処方した」と。なぜならば前者において「処方した」というのは大体つぎのようなことを意味する。すなわち「彼は健康にかなったものとしてある人にこれを定めた」というのである。後者の場合には、各人の上に起ることは、いわばその運命にかなったものとして定められたのである。なぜなら物事が我々に「まわり合わせる」というのは、ちょうど壁やピラミッドの中の四角い石が互いに調和して一種の統一を形作るのを、大工たちが「はまり合う(7)」というのと同様である。結局物事の調和はただ一つであって、ちょうど宇宙があらゆる体の組合せによってこのような大なる体になっているると同様に、運命というものもあらゆる原因によってこのような大なる原因になっているのである。このことはもっとも無知な者といえども認めている。なぜなら彼らは「運命がこのことをあの人にもたらしたのだ」という。してみればたしかにこのことが彼にもたらされたのであり、これが彼に処方されたのだ。ではそれを受け入れようではないか、ちょうど我々がアスクレーピオスの処方するのを受け入れるように。実際その中には沢山の苦いものもある。しかし健康になる希望をもって我々はこれを歓迎するのである。

宇宙の自然の善しとすることの遂行と完成とを、あたかも自己の健康を見るような眼で見よ。したがってたとえいささか不快に思われることでも、起ってくることはなんでも歓迎せよ。それによって宇宙の健康とゼウスの繁栄と幸福に寄与するのであるから。なぜならばもしそれが「全体」に寄与するものでなかったならば、彼はこのことをこの人にもたらしはしなかったであろう。またいかなる自然も自分の配下にある者にたいして適当でないようなことをもたらしはしないのである。

それゆえに二つの理由で君は自分に起ることをよろこばなくてはならない。その一つはそれが君に起ったことであり、君に処方されたことであり、当初はもっともいにしえの原因からつむぎ出された運命の糸であって、なんらかの意味で君に関係しているのであるから。もう一つは、各人に個人的に起る事柄は、宇宙を支配する者の繁栄と完成と、それから実にその存続の原因となるからである。なぜならば君がたとえ少しでも(全体を構成する各)部分や原因相互の結合と連絡を断ち切ったとすれば、宇宙全体の完全性は損なわれてしまうであろう。しかるに君が心に不満をいだくときには、自分のできる範囲内でこれを断ち切り、ある程度までこれを破壊してしまうのだ。

九　つねに信条通り正しく行動するのに成功しなくとも、胸を悪くしたり落胆したり厭になったりするな。失敗したらまたそれにもどって行け。そして大体において自分の行動が人間としてふさわしいものならそれで満足し、君が再びもどって行ってやろうとする事柄を愛せよ。

哲学のもとへもどるときには、学校の教師の許へもどる場合のようではなく、あたかも眼を病む人たちが小さなスポンジや卵白のもとへ救いを求めに赴くように、またほかの病人が湿布または洗滌薬に赴く場合のように、そういう心持で帰って行くべきである。そうすれば君は理性への〔服従をてらう〕ことなく、しかも理性のもとでやすらうであろう。そして記憶すべきは、哲学は君の（内なる）自然の欲するもののみを欲することだ。ところが君は自然にかなわぬものを欲していた。「しかしそれより愉快なものがあろうか。」ああ、しかしちょうどそのために快楽が我々をつまずかせるのではなかろうか。しかし見よ、大きい心、自由、誠実、温情、敬虔——これらのほうがもっと愉快ではないだろうか。実際知恵それ自体よりも愉快なものがあろうか。理解と知識の能力があらゆる場合においていかに確実な働きをなし、いかなる成功をおさめるかを考えてみればわかることだ。

一〇　物事はある点からいえばひどく神秘につつまれているゆえかなり多くの哲学者たち(8)が、しかも凡庸ならざる哲学者たちが、これは我々のまったく把握できぬものであると考えた。しかのみならずストア派の哲学者たちさえもこれを把握し難いものと考えた。実際我々が(知覚に)同意を与える場合つねに誤りを犯しうる。誤りを犯さぬ者はどこにいるか。今度は手近にある物へ目を転じて見よ、なんとそれらのものはかりそめであり、つまらぬものであろう。しかも道楽者や遊女や強盗の持物にもなりうるものである。つぎに君と生活を共にする人びとの性行に目を向けて見よ、その中のもっとも洗練された人間でさえもなかなか我慢し難いものであり、まして人間は自分を我慢するだけでも並大抵のことではない。

このような闇や汚穢《おわい》、物質や時の流れ、動きと動かされるものの流れの中にいったい高く評価さるべきものや一般に熱心に追求さるべきものがありえようか、私には考えることさえできない。それどころかむしろ反対に、我々は自分を励まして自然な分解を待つべきであり、それがなかなかこないのにいらいらせず、ただつぎの二つの思いにやすらうべきである。その一つは、宇宙の自然に適合しないようなことはいっさい私に起らないであろうということ。もう一つは、私は私の考え一つで神とダイモーンにそむくようなことはいっさい行わずにいられるということ。なぜならばこれにそむくことを私に強いる者はないのである。

二　「私は今自分の魂をなんのために用いているか。」ことごとにこの質問を自分にたずね、つぎのように自分をしらべてみるがよい。「指導理性と呼ばれる私の内なる部分は、私と今どういう関係にあるか。そして今私はだれの魂を持っているのか。子供の？　青年の？　弱い女の？　暴君の？　家畜の？　野獣の？」

三　大衆が善いと考えるものがどんなものであるかは、つぎのことからでも君にわかるだろう。すなわちもしある人があるものを真に善いものと考えるならば、——たとえば知恵、節制、正義、雄々しさ、——そういう考えをあらかじめ持っていながら、いわゆる「数々の善きもののために……」というような句を聞くのはもはや耐えられないはずである。なぜならそれは見当違いだから。しかしもしある人が大衆の善いと考えるものを自分も善いと考えるならば、喜劇詩人の言葉を適切なものとして聞き、これを唯々《いい》諾々《だくだく》として受け入れるであろう。かように一般大衆さえもこの相違を認識する。そうでなかったならば、(前者の場合)この冗談は人の気を悪くしたり、反撥されたりしないはずだ。これに反しこれが富や、贅沢と名声のもたらす利益についていわれたものならば、我々はこれを適切な、機知に富んだ言葉として受け入れるのである。しからばさらに進んでこうたずねてみよ。いったいこのようなものを尊重し、善いものと見なすべきかどうか。このようなものとはまずよく考えてみれば、その所有者をしてその富のためについに「厠に行くところさえな」からしむるていのものである。

一三　私は形相因と物質[10]から成っている。これらのいずれも消滅して無に帰してしまうことはない。また同様にいずれも無から生じたものではない[11]。かように私のあらゆる部分はそれぞれ変化によって宇宙のある部分に配分され、つぎにそれが新たに宇宙のほかの部分に変えられる、というふうに無限に続いて行く。私が生まれてきたのもやはりこのような変化によるのであって、私の両親も然り、という具合にもう一つの無限にさかのぼって行く。たとえ宇宙が一定の周期に支配されている[12]としても、以上のごとくいうのになんの差支えもない。

一四　理性と論理の術はそれ自体において、またその固有の働きにおいて自足せる能力である。それは自己に特有の原理から出発し前におかれた目標に向かって進んで行く。

それゆえにこのような行動は「まっすぐな行為《カトルトーセイス》」(13)と名づけられる。それはまっすぐな道を行くことを意味するのである。

一五　人間に人間として与えられていないことを人間の本分と呼んではならない。これは人間に要求されていることではない。人間の(内なる)自然はこれを保証しない。またこれは人間の自然の完成でもない。それゆえ人間のための目標(14)はこれらのものの中に存在しないし、その目標を完成するもの、すなわち善もこれらの中にない。さらに、もしこれらの中のある物が人間に与えられているのであったならば、これを軽蔑したりこれに反対したりするのは、人間に許されたことではないであろう。またこれを必要としない様子を見せる人間も別に賞讃に値しないであろう。またもしこれらのものが善いものならば、その中のある物について控え目にしようとする者も善い人間ではないであろう。ところが実際には、これらのものやその他同様のものを棄てること、あるいは棄てさせられることをさえも忍べば忍ぶほど、その人は善い人間なのである。

一六　君の精神は、君の平生の思いと同じようになるであろう。なぜならば、魂は思想の色に染められるからである。であるとすれば、君は魂をつぎのような思想の連続で染めるがいい。たとえば――生きることが可能なところにおいては善く生きることも可能である。しかるに宮廷でも生きることはできる。ゆえに宮廷(15)でも善く生きることができるのである。さらに――各々の物はそれが創られた目的に向かって惹かれる。それが惹かれるものの中にその目的がある。目的のある所に各々の利益と善がある。さて理性的動物にたいする善とは社会生活を営むことである。なぜなら我々が社会生活を営むように生まれついているということはずっと前に明らかにされた(16)。それに低いものは高いもののために、高いものはお互いのために創られていることは明らかではなかったか。しかるに生物は無生物よりも高く、理性を有するものは単に生きているものよりも高いのである(17)。

一七　不可能事を追い求めるのは狂気の沙汰である。ところが悪人がこのようなことをしないのは不可能なのである(18)。

一八　生まれつき耐えられぬようなことはだれにも起らない(19)。同じことがほかの人にも起るが、それが起ったことを知らぬためか、もしくは自分の度量の大きいことをひけらかすためか、ともかくも彼は泰然として立ち、傷つきもしないでいる。無知と自負のほうが知恵よりも力強いとはまったく不思議なことだ。

一九　物事自体は我々の魂にいささかも直接に触れることはない。また魂へ近づくこともできなければ、その向きを変えたりこれを動かしたりすることもできない。ただ魂のみが自分自身の向きを変え、身を動かし、なんなりと自分にふさわしく思われる判断に従って、外側から起ってくる物事を自分のために処理するのである。

二〇　ある意味で人間は我々にとってもっとも関係の深い存在である。我々が人間にたいして善くしてやったり、これを耐え忍ばなくてはならないという点に関するかぎりそうである。ところが、人間の中には私自身に特有な活動を邪魔する者があるという点に関するかぎり、人間は私にとって、太陽や風や野獣にも劣らぬほど縁なき衆生となってしまう。このような人間によって私の活動はいくぶん束縛を受けるかもしれない。しかし私の自発性と心がまえは束縛されない。なぜならば私はある制約の下に活動すること(20)や、障碍物をくつがえすことができるからである。実際我々の精神はすべてその活動の妨げになるものをくつがえし、これを目的の達成に役立つものと変えてしまう。かくて活動の妨げになっていたものが却ってこれを助けるものとなり、道の邪魔をしていたものが却ってこの道を楽にするものとなってしまうのである。

二一　宇宙の中でもっとも優れたものを尊べ。それがすべてのものを利用し、すべてを支配しているのである。同様に君の内にあるもっとも優れたものを尊べ。それは前者と同じ性質のものである。なぜならばほかのすべてのものを利用するそのものが君の内にもあり、君の一生はそれによって支配されているのである。

二二　社会を損なわぬものは個人をも損ないえない。損なわれたと思われるあらゆる場合につぎの規則をあてはめて見よ。もし社会がこれによって損なわれないなら私も損なわれはしない。もし社会が損なわれたなら、社会を損なう者にたいして腹を立てるべきではない。(21)「彼はなにを見あやまったのだろう」と問うべきである。

二三　存在するもの、生成しつつあるものがいかにすみやかに過ぎ去り、姿を消して行くかについてしばしば瞑想するがよい。なぜならすべての存在は絶え間なく流れる河のようであって、その活動は間断なく変り、その形相因《アイティア》も千変万化し、常なるものはほとんどない。我々のすぐそばには過去の無限と未来の深淵とが口をあけており、その中にすべてのものが消え去って行く。(22) このようなものの中にあって、得意になったり、気を散らしたり、または長い間ひどく苦しめられている者のように苦情をいったりする人間はどうして愚か者でないであろうか。

二四 普遍的物質を記憶せよ。そのごく小さな一部分が君なのだ。また普遍的な時を記憶せよ。そのごく短い、ほんの一瞬間が君に割りあてられているのだ。(23) さらに運命を記憶せよ。そのどんな小さな部分が君であることか。

二五 ある人が私にたいして罪を犯したって? それは彼が処理するだろう。彼は自分の気質、自分の活動を持っているのだ。私としては現在宇宙の自然が私に今持てと命ずるものを持ち、私の(内なる)自然が私に今なせと命ずることをおこなっているわけだ。

二六 君の魂の指導理性であり支配者であるところのものは、君の肉の中に起る剛柔の動き(24)に、泰然自若としていなくてはいけない。このような動きにはかかりあわずに孤立し、欲情は肢体の中にとじこめておくべきである。しかし〔他の〕交感性があるために、一つの体である以上当然考えられるように、欲情が精神の中にも昇って行くときにはその感覚は自然のものなのだからこれに抵抗しようとしてはならない。ただし君の指導理性はこれが善いとか悪いとかいう意見をみずから加えぬようにすべきである(25)。

二七　神々とともに生きること。神々とともに生きる者とは神々にたいしてつねに自己の分に満足している魂を示し、ダイモーンの意のままになんでもおこなう者である。ダイモーンとはゼウス自身の一部分であって、ゼウスが各人に主人として指導者として与えたものである。これは各人の叡智と理性にほかならない。

二八　腋臭《わきが》のある人間に君は腹を立てるのか。息のくさい人間に腹を立てるのか。その人間がどうしたらいいというのだ。彼はそういう口を持っているのだ、またそういう腋を持っているのだ。そういうものからそういうものが発散するのは止むをえないことではないか(26)。

曰く「しかしその人間は理性を持っている。だからどういう点で自分が人の気にさわるか少し考えればわかるはずだ。」

それは結構。ところで君も理性を持っているね。それなら君の理性的な態度によって相手の理性的な態度を喚起したらいいだろう。よくわけをわからせてやり、忠告してやりなさい。もし相手が耳を傾けるなら君はその人を癒してやれるだろう、怒る必要なんか少しもないさ。

悲劇役者でもなければ遊女でもない(27)。

二九　君がこの世から去ったら(28)送ろうと思うような生活はこの地上ですでに送ることができる。しかし他人《ひと》がその自由を許さないなら、そのときこそ人生から去って行け。ただしその場合ひどい目に遭っている人間としてであってはならない。「煙ったい、だから私は去って行く(29)。」どうしてこれを重大なことと考えるのだ。しかしこういうことのために追払われぬかぎり私は依然自由の身であり、自分のしたいことをするのになんの差障りもない。そして私のしたいこととは、理性的社会的動物の自然(性)にかなったことなのである。

三〇　宇宙の叡智は社会的なものである。少なくともそれはより低いものをより高いもののために創り、より高いものを相互に協和せしめた(30)。見よ、いかにすべてがこの叡智によってあるいは従属に、あるいは同格に整頓され、各々その価値に従った分を受け、もっとも優れたものが互いに一致して生きるように創られていることか。

三一　君は今日まで神々にたいしてどんな態度をとってきたか。親たち、兄弟、妻、子供たち、先生たち、家庭教師たち、友人たち、親類、召使たちにたいしてはどうか。今日まですべての人びとにたいして

なんぴとにも悪しざまにおこないもせず、いいもせず(31)

のごとく振舞ったか、君がなにを経験してきたか、なにに耐ええたかを思い起せ。また君の人生の物語はもはや完了し、君の奉仕は済んだのだということを。さらに君がどれだけ美しいものを見、どれだけの快楽と苦痛をものともせず、どれだけの名誉を無視し、どれだけの不親切者を親切をもって遇したかを思い起せ。

三二　どういうわけで技術も知識もない者の魂が技術と知識のある者の魂をみだすのだろう。そもそも技術と知識のある魂とはどんなものか。それは始めと終りとを知る魂、すべての存在に浸透し一定の周期の下に「全体」を永遠に支配する理性を知る魂である。

三三　もうしばらくすれば君は灰か骨になってしまい、単なる名前にすぎないか、もしくは名前ですらなくなってしまう。そして名前なんていうものは単なる響き、こだまにすぎない。人生において貴重がられるものはことごとく空しく、腐り果てており、取るに足らない。また我々は互いに咬みあう小犬や、笑ったかと思うともう泣く喧嘩好きの子供と選ぶところはない[32]。信仰とつつしみと正義と真実は

　　ひろやかなる道のかよえる地上よりオリュンポスのかなたへ[33]

去って行ってしまった。

　ではいったいなにがまだ君をここにひきとめておくのか。感覚的なものはことごとくうつろいやすく動きやすく、我々の感覚機能も鈍く欺かれやすく、魂それ自体も血から発散する[34]煙にすぎない。こんな人間どもの間で大事にされたところで空しいことだ。それならば残るはなにか。消滅か、もしくは他に移されるのをいさぎよく待つことだ[35]。その時がくるまで、どうすれば足るのか。神々をうやまい讃え、人間に善事を施し、彼らを「耐え忍び我慢すること[36]」以外のなんであろう。またすべて君の哀れな肉体と小さな息の及ぶところにあるものは、君のものでもなければ君の自由になるものでもないのを

おぼえていることだ。

三四　正しい道を歩み、正しい道に従って考えたり行動したりすることができるならば、君の一生もつねに正しく流れさせることができる[37]。神と人の魂、またすべての理性的動物の魂につぎの二つのことが共通である。すなわち他人から束縛を受けぬこと。また善とは正義にかなった態度と行動にありと考え、そこに自己の欲望をかぎること。

三五　もしこれが私の悪徳でもなく、私の悪意の結果でもなく、公共の利益を損なうものでもなければ、私はそんなことをなぜ気にかける必要があろう。そもそも公共の利益の損害されるということがありうるだろうか。

三六　感覚的な思念によって全心を奪われぬようにせよ。それよりも自分の力に従い、人の価値に応じて人を助けよ。どうでもよい事柄において（他人が）失敗したとしても大した損害に考えるな。それは悪い習慣だ。ちょうど（劇の中で）老人が立ち去りながら自分の育てた子供の独楽《こま》を、それが一個の独楽にすぎぬことを忘れていないくせに、返してくれというように、〔君もここでそうせよ[38]〕。

「おい君、君はこれがなんであったか忘れたのか。」

「さよう、しかし人はこれにひどく熱心なんです。」

「だからといって君まで馬鹿者にならなくてはならないのか。」


かつて(39)私はどこにおきざりにされようとも幸運な(40)人間であった。「幸運な」とは自分自身にいい分け前を与えてやった人間のこと、いい分け前とはよい魂の傾向、よい衝動、よい行為のことである。

第六巻

一　普遍的物質は従順にして柔靱《じゅうじん》である。これを支配する理性はなんら悪事を働く動機を自分自身の中に蔵していない。なぜならそれは悪意をいだかず、悪事を働かず、何ものもそれによって損なわれない。万物はこの理性に従って生成し、完成する。

二　君が自分の義務を果すにあたって寒かろうと熱かろうと意に介すな。また眠かろうと眠りが足りていようと、人から悪くいわれようと賞められようと、まさに死に瀕していようとほかのことをしていようとかまうな。なぜなら死ぬということもまた人生の行為の一つである。それゆえにこのことにおいてもやはり「現在やっていることをよくやること」(1)で足りるのである。

三　ものの内部を見よ。いかなるものの固有な性質も価値も君の眼を逃れることのないように。

四　すべて眼前に横たわるものはすみやかに変化し、ことごとく発散(2)してしまうか——もし物質が一つのものならば——、あるいは分散してしまうのであろう。

五　支配者の立場にある理性は自分自身の性向を知り、自分がなにをなすか、いかなる素材をもってこれをなすかを知っている。

六　もっともよい復讐の方法は自分まで同じような行為をしないことだ。

七　ただつぎの一事に楽しみとやすらいとを見出せ。それはつねに神を思いつつ公益的な行為から公益的な行為へと移り行くことである。

八　指導理性《ト・ヘーゲモニコン》とは自ら覚醒し、方向を転じ、欲するがままに自己を形成し、あらゆる出来事をして自己の欲するがままの様相をとらしむることのできるものである。(3)

九　万事は宇宙の自然に従って遂行される。これを外から包んだり、または内部にあってこれに包まれていたり、または外部にあってこれと離れている別の自然に従っておこなわれるのではない。

一〇　混乱、錯綜、分散か。それとも統一、秩序、摂理か。(4) もし前者であるならば、なにを好んで私はこんなでたらめの混雑と渾沌《こんとん》の中にとどまろうか。ついに「土にかえる」(5)こと以外に心にかけることがあろうか。なぜ心をみだすことがあろう。私がなにをしようと、分散は私にも及んでしまうだろう。しかしもし後者であるならば、私は敬虔な思いに満たされ、足をしっかりと踏まえて立ち、統べ給う者に信頼するのである。

一一　周囲の事情のために強いられて、いわばまったく度を失ってしまったときには、大急ぎで自分の内にたちもどり、必要以上節度から離れていないようにせよ。たえず調和にもどることによって君は一層これを支配することができるようになるであろう。

一二　もし君が同時に継母と実母とを持っているとしたら、君は前者に仕えはするであろうが、しかし君が絶えずもどって行くのは実母のもとであろう。宮廷と哲学は君にとってちょうどこのような関係にある。後者のもとへしげしげと帰って行き、そこで憩うがよい。そうすることによって君に宮廷生活が我慢できそうになるのだし、また君自身も宮廷生活にとって我慢がなりそうな存在となるのだ。

一三　肉の料理やそのほかの食物については、これは魚の死体であるとか、これは鳥または豚の死体であるとか、ファレルヌム(6)は葡萄《ぶどう》の房の汁であるとか、紫のふちどりをした衣(7)は貝の血に浸した羊の毛であるとか、また交合については、これは内部の摩擦といくらかの痙攣《けいれん》を伴う粘液の分泌であるなどという観念を我々はいだく。このような観念は物自体に到達し、その中核を貫き、それがいったい何であるかを目に見えるように判然とさせるが、ちょうどそのように君も一生を通じて行動すべきである。すなわち物事があまりにも信頼すべく見えるときにはこれを赤裸々の姿にしてその取るに足らぬことを見きわめ、その〔賞讃される所以のもの〕を剝ぎ取ってしまうべきである。なぜならば自負は恐るべき詭弁者であって、君が価値ある仕事に従事しているつもりになりきっているときこそこれにもっともたぶらかされているのである。いずれにしてもクラテース(8)がクセノクラテース(9)自身についていっていることを見よ。

一四　大衆の尊ぶものの大部分はもっとも一般的なものに属し、ある物理的な状態によって結合しているか、もしくは自然の統一によって結合しているものである。たとえば石、木、無花果《いちじく》、葡萄、オリーヴの樹等。もう少しもののわかった人たちによって尊ばれるものは、たとえば羊や牛の群のごとく、生命によって結合しているものに属する。もっと教養のある人たちによって尊ばれるものは、理性ある魂によって結合しているものに属する。(10) もっともそれは普遍的な理性を有する魂をいうのではなく、ある技術に通ずるとかその他の点で熟練者であるとか、または単に大勢の奴隷を所有するような魂をいうのである。ところが理性的普遍的社会的な魂を尊ぶ人間は、もはや他の何ものにも注意を向けず、なによりもまず自分の魂がそれ自体において、またその活動において、理性的社会的であるように心がけ、同胞の者とも協力してこの目的を達成するように努めるものである。

一五　ある物は急いで生起しようとし、ある物は急いで消滅しようとし、生じ来ったものも部分的にはもう消え失せてしまった。絶ゆることなき時の流れが永遠の年月をつねに新たに保つがごとく、流転と変化が世界をたえず更新する。この流れの中にあって、我々の傍を走り過ぎて行くもの、その上にしっかりと足を踏まえるところもないようなもののうち何をそう尊ぶことができようか。それはちょうど我々の傍を飛んで過ぎ行く雀どもの中のいずれかを愛しにかかるのと同じようなもので、当の雀はもう視界の外へ行ってしまっているのだ。[11] 実際各人の生命それ自体も血から蒸発したもの、空気から吸い込まれたものに似ている。[12] なぜならあたかも我々が一度空気を吸い込み、またそれを吐きもどすように、――それは我々が各瞬間にしていることだが――昨日か一昨日君が生まれたときに与えられた全呼吸機能を、最初君が息を汲み取った源泉へ返納するのもまったく同じことなのである。

一六　尊ぶべきは植物のように発散による呼吸を営むこと[13]でもなく、家畜や野獣等のように呼吸することでもなく、感覚を通して印象を受けることでもなく、衝動のままにまにあやつられることでもなく、群をなして集うことでもなく、食物を摂《と》ることでもない。それは食物の残渣《ざんさ》を排泄するのと同じたぐいのことだ。

では何を尊ぶべきか。拍手喝采されることか、否。また舌の拍手でもない。というのは、大衆から受ける賞讃は舌の拍手にすぎないからだ。また君はつまらぬ名誉もおはらい箱にした。では何が尊ぶべきものとして残るか。私の考えでは、自己の(人格の)構成に従って[14]あるいは活動し、あるいは活動を控えることである。[15]あらゆる職業や技術の目的となすところもそこにある。なぜならばあらゆる技術の目標は、すべて作られたものが、その作られた目的である仕事に適応することにある。葡萄の世話をする葡萄栽培者、子馬を仕込む者、犬を馴らす者、みなこれをめざしているのである。また子供の教育法や教授法もこれに向かって努力する。これこそ尊ぶべきものなのである。そのことをしっかりと身につけたならば、君は自分のために何もほかにかちえようとはしないであろう。それとも君は多くのほかのことを尊ぶのをやめないつもりなのか。それなら君は自由の身にもならず、自足した人間にもならず、また激情に動かされぬ者ともならないであろう。なぜならばその場合、君が羨んだりねたんだり、そういうほかのものを君から奪い取りうる人びとを疑ったり、君の大切に思うものを持っている人びとにたいして陰謀を企てたりするのは必定である。つまり、そういうもののいずれかを必要とする人間は、必然的に混乱の中にあらざるをえず、その上神々にたいしてもさまざまの非難を口にせずにいられないものである。ところが自分自身の精神を敬い尊ぶならば、それによって君は自己の意にかなう人間となり、人びとと和合し神々と調和する者、すなわちすべて神々の配し定めるところに喜んで服する者となるであろう。

一七　上へ、下へ、または円を描きつつ元素は動く(16)。しかし徳の運動はその中になく、もっと神的なもので、測りがたき道をいみじくも進んで行くのである。

一八　彼らのやることはなんて妙なのだろう。彼らは自分と時代を同じゅうし、生活をともにする人びとを賞めようとしない。ところが彼ら自身は、自分が決して見たこともなく、これから先き見ることもない後世の人びとに賞められることを一大事と考えている。これではまるで君より前の時代にいた人たちまで、君について賞讃の言葉をいわなかったといって嘆くのに近いではないか。

一九　あることが君にとってやりにくいからといって、これが人間にとって不可能であると考えるな。しかしもしあることが人間にとって可能であり、その性質にかなったことであるならば、それは君にも到達しうることだと考えるべし。

二〇　競技場においてある相手が我々に爪で裂傷を負わせ、頭でひどくぶつかってきた。しかし我々は抗議を申込みもしなければ気を悪くもしないし、その後も相手が我々にたいして悪事をくわだてているなどと疑ったりしない。もっとも我々は彼にたいして警戒はしているが、それは敵としてではなく、また彼にたいして疑惑をいだいているわけでもなく、好意を持ちつつ彼を避けるのである。我々は人生のほかの部面においても同じように行動すべきである。我々とともに競技をしているともいうべき人たちにたいして、多くのことを大目に見てあげようではないか。なぜなら私のいったように、人を疑ったり憎んだりせずに避けることは可能なのだから。

二一　もしある人が私の考えや行動がまちがっているということを証明し納得させてくれることができるならば、私はよろこんでそれらを正そう。なぜなら私は真理を求めるのであって、真理によって損害を受けた人間のあったためしはない。これに反し自己の誤謬と無知の中に留まる者こそ損害を蒙るのである。

二二　私は自分の義務(17)をおこなう。ほかのことは私の気を散らさない。なぜならそれは生命のないものか、理性のないものか、または迷って道をわきまえぬ人びとであるからだ。

二三　理性のない動物や一般の事物にたいしては寛大と自由とをもって処すがよい。なぜなら君には理性があり、彼らにはないのだから。しかし人間は理性を持っているゆえ彼らにたいしてはなかま同士のように振舞うがよい。そしてあらゆることに際して、神々に呼びかけよ。いったいいつまで自分はこうしているのだろうと苦にするな、三時間もそうして費せば充分だ。

二四　マケドニアのアレクサンドロス(18)も彼のおかかえの馬丁もひとたび死ぬと同じ身の上になってしまった。つまり二人は宇宙の同じ創造的理性の中に取りもどされたか、もしくは原子の中に同じように分散されたのである。(19)

二五　我々各々の体や心の中にどれだけ多くのことが同じ瞬間のうちに起るかを思いめぐらしてみよ。そうすれば我々が宇宙と呼ぶ唯一にして普遍的であるものの中にそれよりもっと多くのこと、というよりはむしろすべての出来事が同時に共存するとしても、君は驚かないであろう。

二六　もしある人が君に「アントーニーヌスという名前はどういうふうに書くのか」と尋ねたら、君はそれを構成する文字を一つ一つ力をこめて発音しないだろうか。そしてどうだろう。もしその場合人が腹を立てたら君も腹を立てるだろうか。平然と文字の一つ一つを列挙し続けはしないだろうか。それと同様にこの世ではすべて義務というものは幾つかの項目によって成っていることを記憶せよ。[20]君はこれらを守り、腹を立てる人びとにたいしてこちらからも腹を立てずに、目前の仕事を秩序正しく遂行しなくてはならないのである。

二七　自分にとって自然であり有利であると思われるものに向かって行くことを人に許さないのはなんと残酷であろう。ところが人が過ちを犯したといって腹を立てるとき、君はある意味で彼らに以上のごとく振舞うのを許してやらないのである。なぜならば人は一般に自分にとって自然であり有利であることに惹かれるものである。[21]「ところがそうではないのだ。」それなら怒らずに彼らに教え示してやるがいい。[22]

二八　死とは感覚を通して来る印象や、我々を糸であやつる衝動や、心の迷いや肉への奉仕などの中止である。

二九　君の肉体がこの人生にへこたれないのに、魂のほうが先にへこたれるとは恥ずかしいことだ。

一三　「カエサル的」[23]にならぬよう、その色に染まらぬよう注意せよ。なぜならそれはよく起ることなのだから。単純な、善良な、純粋な、品位のある、飾り気のない人間。正義の友であり、神を敬い、好意にみち、愛情に富み、自己の義務を雄々しくおこなう人間。そういう人間に自己を保て。哲学が君をつくりあげようとしたその通りの人間であり続けるように努力せよ。神々を畏れ、人を助けよ。人生は短い。地上生活の唯一の収穫は、敬虔な態度と社会を益する行動である。

あらゆることにおいてアントーニーヌス[24]の弟子として振舞え。理性にかなう行動にたいする彼のはりつめた努力、あらゆる場合におけるむらのない心情、敬虔、彼の顔の穏やかなこと、優しさ、むなしき名誉にたいする軽蔑、ものごとを正しく把握しようとする熱意――これらのものを思え。また彼がなにごとをもまずよく検討し、はっきり理解せずには手から放さなかったこと。自分を不当に非難する者にたいして自分の方から非難して返さずこれを忍耐したこと。なにごとにもあわてなかったこと。讒謗《ざんぼう》に耳を傾けなかったこと。精密に人の性質や行動を調べたこと。やかましやでもなく、卑怯者でもなく、猜疑家でもなく、詭弁家《ソピステース》でもなかったこと。住居、寝床、衣服、食物、召使等については、わずかのことで満足したこと。労働を愛し気が長かったこと。また彼は簡素な食事を摂っていたので、決まった時間以外に食物の残渣を排泄する必要がなく、そのおかげで夜まで同じ仕事をやり続けることができた。友人たちにたいしては、忠実でつねに変ることがなかった。彼の意見に公然と反対する者にたいしては忍耐し、もっと良いことを教えてくれる者があれば喜んだ。また神を畏れつつも迷信に陥ることがなかった。以上のことを思い、君も彼にならっていつ最期の時がやってきても良心が安らかであるようにしておけ。

三一　正気に返って自己を取りもどせ。目を醒《さ》まして、君を悩ましていたのは夢であったのに気づき、夢の中のものを見ていたように、現実のものをながめよ。

三二　私は小さな肉体と魂から成っている。肉体にとってはすべてのことはどうでもいいことである。なぜなら肉体はものごとを気にかけることができないからである。精神にとっては、すべてその活動に属さないことはどうでもいいことであるが、すべてその活動に属することはその勢力範囲にある。ただしその中でもただ現在に関することのみ問題になる。というのは未来および過去の活動は現在やはりどうでもいいことなのである。

二三　足が足の分をなし、手が手の分を果すかぎり、手や足の労働は自然に反することではない(25)。同様に人間が人間の分をなすかぎり、人間として人間の労働は自然に反することではない。もし人間の(内なる)自然に反することでないならば、彼自身にとっても悪いことではない。

二四　強盗や放蕩者や父親殺しや暴君等はいかなる快楽を味わったことか(26)。

二五　工匠たちはあるところまでは素人に調子を合わせるが、そのために彼らの技術の原理に沿うのをおろそかにするようなことはなく、これから離れるのをいさぎよしとしない。この事実を君は見ないのか。建築家や医者が自分の技術の原理にたいしていだく心のほうが、人間が自己の理性——それを人間は神々と共有するのだが——にたいしていだく気持よりももっと敬虔であるとは、ふしぎなことではないか。

二六　アジア、ヨーロッパは宇宙の片隅。すべての大洋は宇宙の中の一滴。アトースの山(27)は宇宙の中の小さな土塊。現在の時はことごとく永遠の中の一点。あらゆるものは小さく、変りやすく、消滅しつつある。

万物はかしこから来る。すなわち宇宙の指導理性から、あるいは直接これに動かされて来り、あるいは因果関係に従って来る。したがって獅子が口を開けたところや、毒薬や、とげや泥のごとくすべての有害なものは、かの尊ぶべきもの、美しきものの結果にすぎないのである。(28) ゆえにこれらは君の敬うものとは別のものだと考えてはいけない。あらゆるものの源泉を考えよ。

三七　現存するものを見た者は、なべて永遠の昔から存在したものを見たのであり、また永遠に存在するであろうものを見たのである。なぜならば万物は同じ起源を持ち、同じ外観を呈しているのである。(29)

三八　宇宙の中のありとあらゆるものの繋《つな》がりと相互関係についてしばしば考えてみるがよい。ある意味であらゆるものは互いに組み合わされており、したがってあらゆるものは互いに友好関係を持っている。なぜならこれらのものは、〔膨脹収縮の〕運動(30)や共通の呼吸やすべての物質の単一性のゆえに互いに原因となり結果となるのである。

三九　君の分として与えられた環境に自己を調和せしめよ。君のなかまとして運命づけられた人間を愛せ。ただし心からであるように。

四〇　器具や道具や容器などは、そのこしらえられた目的を果すならばみな上出来なのである。しかしその場合これをこしらえた者はそこにいない。ところが自然によって組立てられた物においては、これをこしらえた力はその中に内在し、そこにずっと留まっている。だから君はこの力をもっと敬わなくてはいけない。そしてもし君がその意志に従って身を持し、かつ行動するならば、すべて君の中にあるものは君の叡智のままになるであろうことを自覚しなくてはならない。同様に宇宙の物は宇宙の叡智のままになるのである。

四一　自分に選択の自由のないものについて、これは自分にとって善いとか悪いとか考えるとすれば、こんなに悪いことが身にふりかかったとか、こんなに善いことが失敗したとかいって、君はきっと神々にたいして呟かずにはいないだろう。また他人がこの失敗や災難の責任者であるといって、またはその嫌疑があるといって、人間を憎まずにはいないであろう。まったくこのようなことを重大視することによって我々は実に多くの不正を犯してしまうのである。しかるにもし我々が自分の自由になることのみを善いとか悪いとか判断するならば、神に罪を被《かぶ》せる理由もなく、人間にたいして敵の立場を取る理由ももはや残されていないのである。

四二　我々はみな一つの目的の遂行に向かって協力している。ある者は自覚と理解をもって、ある者はそれと知らずに。たしかヘーラクレイトスがいったように「眠る者すら働き人[31]」であり、宇宙の中の出来事における協力者である。それも人はそれぞれ異なった方法で協力するのであって、これに加うるに出来事を非難する者、これに反抗しようとする者、これを消滅させようとする者さえも協力するのである。なぜなら宇宙はこのような者をも必要としたからである。残るは、君がいかなる人間のなかまにはいるつもりか決心することだ。もちろんいずれにしても宇宙の支配者は君をうまく用い、協力者や助手たちの間のどこかへ加えてくれるだろう。しかし君としては、クリューシッポス[32]が言及している劇の中のくだらぬ、笑うべき詩句のような場所を占めぬように気をつけるがよい。

四三　太陽が雨の役目を果そうとするだろうか。あるいはアスクレーピオスが果実を結《むす》ぶ者の役目を？(33) 個々の星についてはどうか？ 彼らはそれぞれ異なっていながら同一の目的に向かって協力してはいないだろうか。

四四 もし神々が私について、また私に起るべきことについて協議したとするならば、必ず賢い協議をしたのである。なぜなら思慮のない神などというものは想像さえむずかしい。それにいったいいかなる動機に動かされて私に悪いことをしようとすることができたろうか。それによって彼ら、もしくは彼らの特別の関心事である宇宙になんの益するところがあろうか。しかしもし神々が特に個人的に私について協議しなかったとしても、ともかく宇宙のことについては協議したのであるから、私に起ることもその結果として生ずることなのであって、私はこれをよろこんで受け入れ、これに満足しなくてはならないのである。しかしもし神々が何ものについても協議しなかったのならば、——こんなことを信ずるのは不敬虔であるが——それならば我々はもう犠牲も祈禱も誓いもおこなわず、ほかのこともいっさいしないことにしよう。なぜならばこれらのことはことごとく神々を現存するもの、我々とともに生きているものと見なして、その神々にたいしておこなっているのである。さて、今いったように、もし神々が我々についてなにも協議しないならば、ともかく私自身は自分のことについて考えることを許されており、自分の利益について検討することができる。さて各人にとって有益なこととは、自己の構成素質[34]と本性にかなったことである。ところが私の本性は理性的であり社会的である。私の属する都市と国家は、アントーニーヌスとしては、ローマであり、人間としては世界である。したがってこれらの都市にとって有益なことのみ私にとって善いことなのである。

四五　すべて各々の個人に起ることは「全体」にとってもまた有益である。それはそれでよい。しかし更によく気をつけて見るとつぎのことを知るだろう、すべてある個人に有益なことはほかの人間にとっても有益であるということを。しかしこの場合有益という言葉は、善でも悪でもないどうでもよいことについていうのであるから、より一般的な意味にとらなくてはならない[35]。

四六　円形闘技場《アンピテアートロン》や類似の場所での競技はいつも同じことばかり見せるので、単調のためにひどく退屈なものになり、君もうんざりしてしまう。ちょうどそれと同じような感じを君は人生全体についていだくのだろう。なぜならば上にあるものも下にあるものもいっさいが同じものであり、同じものの結果なのである。かくていつまで？

四七　あらゆる種類の人間、あらゆる職業、あらゆる種族の人間が死んでしまったという事実をつねに念頭におくがよい。こうしてピリスティオーン[36]やポイボスやオリーガニオーン等に至るまで下って行き、つぎに他の人種へ目を転ぜよ。多くの素晴らしい雄弁家や、多くの厳粛な哲学者、ヘーラクレイトス[37]、ピュータゴラース[38]、ソークラテース[39]等が去って行ったところへ我々も移って行かなくてはならないのである。また多くの昔の英雄、その後の将軍や暴君。そのうえエウドクソス[40]、ヒッパルコス[41]、アルキメーデース[42]、その他の鋭い性質の人や、寛い心の持主や、労苦を厭わぬ人びとや、何でもござれのやり手、意志の強い人間、メニッポス[43]やその他同様の多くの人びとのように、もろくはかなき人生そのものを嘲笑する人たちもことごとくかしこへ行ってしまった。この人たちが皆ずっと前から死んで墓に横たわっていることを考えよ。彼らにとってなんの恐るべきことがあろう。また全然名も無き人びとにとってなんの恐るべきことがあろう。この世で大きな価値のあることはただ一つ、嘘つきや不正の人びとにたいしては寛大な心をいだきつつ、真実と正義の中に一生を過すことである[44]。

四八　君が自分に楽しい思いをさせてやりたいと思うときには、君と一緒に生活している人びとの長所を考えてみるがよい。たとえばこの人の精力的なこと、あの人のつつしみ深さ、第三の人のものおしみせぬ心、その他の人の他の長所等。なぜならば徳の姿が我々とともに生きている人びとの性質の中に現れていることほど、しかもそれができるだけ大勢の中に現れていることほど喜ばしいことはない。であるからこれらの姿をつねに眼前に彷彿《ほうふつ》させるべきである。

四九　自分の目方が何貫目(45)かで、三百貫ではないといって君は嘆くだろうか。それと同様に、君の寿命が何年かで、それより長くないといって嘆くべきではない。君に割りあてられた物質の量だけで満足しているように、時についても同じく満足せよ。

五〇　まず彼らにいいきかせてみよ。しかし正義の原則がかく命ずるときには、たとえ彼らの意志に反しても行動するがよい。もし力ずくで君の道を邪魔しようとする者があれば、満足と平静の力を借り、この障碍物を他の徳を発揮する機会として利用せよ。そして君が上記の行動をとろうとしたのも(周囲の事情の)制約の下に(46)においてであって、敢えて不可能事を目ざしていたのではないことを思い起せ。それではなにを目標としていたのか。なにかそうしたことをしてみようとしたまでである。君はその目的を達した。

なぜならば我々の進みうる範囲内のことは実現したのであるから。

五一　名誉を愛する者は自分の幸福は他人の行為の中にあると思い、享楽を愛する者は自分の感情の中にあると思うが、ものの分かった人間は自分の行動の中にあると思うのである。(47)

五二　この事柄について意見を決めたり、心を悩ましたりする必要はない。なぜなら物事はそれ自体において我々の判断をこしらえるような性質のものではないのである。

五三　他人のいうことに注意する習慣をつけよ。そしてできるかぎりその人の魂の中にはいり込むようにせよ。

五四　蜂巣にとって有益でないことは蜜蜂にとっても有益ではない。(48)

五五　もし水兵たちが舵手の悪口をいい、病人たちが医者の悪口をいったとすれば、それはその人間がどうしたら乗組員の安全を、また患者たちの健康を、もたらすことができるかとの心づかいからにほかならないではないか。

五六　私と一緒にこの世にきた者のうち、はや何人世を去って行ったことだろう。

五七　黄疸を患っている人たちには蜂蜜は苦い味がする。狂水病の人たちには水が恐ろしい。幼い子供たちには自分の毬《まり》が美しく見える。では私はなぜ腹を立てるのだ。それとも君は、誤謬というものは、黄疸患者における胆汁、狂水病患者における病毒よりも作用力のないものとでも思うのか。

五八　君が自分の自然の理性に従って生きるのをなんぴとも妨げはしないであろう。また宇宙の自然の理性に反してはなにごとも君に起らないであろう。

五九　彼らが気に入ろうとする人びと、得ようとする利益、用いる手段——それはどんなものであることか。いかにすみやかに時がすべてを覆ってしまうことであろう。すでにいかに多くのものを覆ってしまったことであろう。

第七巻

一　悪徳とはなにか。それは君がしばしば見たことのあるものだ。一般にあらゆる出来事にたいして「これは君がしばしば見たことのあるものだ」という考えを念頭に用意しておくがよい(1)。結局上を見ても下を見ても至るところ同じものが見出されるであろう。古代史も中世史も近世史もその同じもので一杯だし、今日も都市や住居はこれで一杯だ。一つとして新しいものはない。すべておきまりであり、かりそめである(2)。

二　信条《ドグマ》というものは死ぬことはない。これに相応する観念が消滅してしまわないかぎり、どうして死ぬことがありえようか。そしてこれらの観念をたえず新たな焔に燃えあがらせることはひとえに君にかかっているのである。

私は物事について自分の持つべき意見を持つことができる。それができるなら、なぜ私は心を悩ませるのだ。私の精神の外にあるものは、私の精神にとってなんのかかわりもない事柄だ。このことを学べ、そうすれば君はまっすぐに立つ。

君は更生することができる。物事を再び以前のような眼をもって見よ。[3] 更生とはこのことにあるのだから。

三　空しき栄華の夢、舞台での芝居、[4] 羊や牛の群、槍の戦い、小犬に投げてやる小骨、魚の溜池にほうってやるパン屑、蟻の労苦と重荷、おびえた鼠の逃走、[5] 糸であやつられる人形。[6] 以上のようなものの中で君は善意にみちた態度を取り、尊大な風をしてはならない。ただし人間各々の価値は、その人が熱心に追い求める対象の価値に等しい、ということを理解していること。

四　会話に際しては人のいうことに注意していなくてはならない。またあらゆる行動に際しては、その結果生じてくることに注意していなくてはならない。後者においてはそれがどんな目的に関連しているかを最初から見抜くこと、前者においては、その意味がなんであるかを注意すること。[7]

五　私の知能はこのことに充分か否か。もし充分ならば、私はこれを宇宙の自然から与えられた道具としてその仕事に用いる。もし充分でないならば、なにかほかの理由でそれが許されぬことでないかぎり、もっとよくそれを果すことのできる人に場所をゆずるか、あるいは私の指導理性《ト・ヘーゲモニコン》の助けによって現在社会のために時をえた有益なことをおこないうる人間を助手に採用した上で自分にできるだけのことをする。いずれにせよ、自分自身でやるにしても、または他人と一緒にやるにしても、私のやることはことごとく社会に有益なこと、適当なことにのみ向かっていなくてはならないのである。

六　昔さかんに讃めたたえられた人びとで、どれだけ多くの人がすでに忘却に陥ってしまったことであろう。そしてこの人びとを讃めたたえた人びともどれだけ多く去って行ってしまったことであろう。

七　人に助けてもらうことを恥ずるな。なぜなら君は兵士が城砦を闘い取るときのように、課せられた仕事を果す義務があるのだ。もし君が足が不自由であって、胸壁を一人では昇ることができず、ほかの人の助けを借りればそれができるとしたらどうするか。

八　未来のことで心を悩ますな。必要ならば君は今現在のことに用いているのと同じ理性をたずさえて未来のことに立ち向かうであろう。

九　万物は互いにからみ合い、その結びつきは神聖である。ほとんど一つとして互いに無関係のものはない。あらゆるものは共に配置され、全体として一つの秩序ある宇宙を形成しているのである。万物によって成立する一つの宇宙があり、万物の中に存在する一人の神があり、一つの物質、一つの法律、叡智を有するあらゆる動物に共通な〔一つの〕理性がある。また同胞であり、同じ理性を共有する動物の完成ということが一つならば、真理もまた一つなのである。[8]

一〇　すべての物質的なものはたちまち普遍的物質の中に消え失せ、すべての原因はたちまち宇宙の理性の中に取りもどされ、[9]またすべてのものの記憶はたちまち永遠の中に葬られてしまう。

一一　理性的動物にとっては、同一の行動が同時に自然にかなったものであり、理性にかなったものなのである。

一二　まっすぐでいるか、もしくはまっすぐにされるか。[10]

一三　四肢と胴とが一つの体を形成する場合と同じ原理が理性的動物にもあてはまる。というのは彼らは各々別の個性を持っているが、協力すべくできているのである。[11] 君が自分に向かって「私は理性的動物によって形成される有機体の一肢（μέλος）である」とたびたびいって見れば、この考えはもっと君にピンとくるであろう。しかしもし君がρという文字を使って単に「一部分（μέρος）である」と自分にいうなら、君はまだ心から人間を愛しているのではなく、善事をおこなうことがまだ絶対的に君を悦ばすわけではないのだ。君はまだ単に義務としてこれをおこなうにすぎないのであって、自分自身に施す恩恵としておこなうのではないのだ。[12]

一四　これを感じうるものにたいしてなんなりと外側から起りたいことが起るがよい。これを感ずるものは、ぶつぶついいたければいうであろう。しかし私は、自分に起ったことを悪いことと考えさえしなければ、まだなんら損害を受けていないのだ。そう考えない自由は私にあるのだ。

一五　誰がなにをしようと、なにをいおうと、私は善くあらねばならない。それはあたかも金かエメラルドか紫貝が口癖のようにこういっていたとするのと同じことだ。(13)「誰がなにをしようといおうと、私はエメラルドでなくてはならない。私の色を保っていなくてはならない」と。

一六　指導理性は自分自身を悩まさない。たとえば自分を欲望の中へ〔陥れる〕(14)ことはない。誰か他人がこれを恐れさせたり悲しませたりすることができるならば、勝手にしてみるがよい。その信念の上からいって、指導理性は自分にこのような方向転換をさせないであろう。

肉体は、できることならなんの苦痛も受けぬように気をつけたらいいだろう。もしなにか苦痛を受けたならそういうがいい。ところが魂のほうは、恐れたり悲しんだりする能力を持ち、これらのことについて一般に判断を下すことはできるが、実はなんの苦痛も受けえないのである。なぜならばその習性としてこのような判断を下すべく余儀なくされることはないからである。

指導理性は自ら要求を創り出さないかぎり、それ自身においては、何ものをも必要としないのである。したがって、自己をわずらわしたり束縛したりせぬかぎり、何ものにもわずらわされることはなく、何ものにも束縛されることもない。

一七　幸福《エウダイモニアー》とは善きダイモーン、または善き〔指導理性〕のことである。ではお前はここでなにをしているのか、おお想像力よ。(15) 神々にかけていうが、あっちへ行け、お前がやってきたのと同じように。なぜなら私はお前を必要としないのだ。それなのにお前は昔からの習慣でやってきてしまった。私は別にお前に腹を立てているわけではないが、ただあっちへ行ってくれ。

一八　変化を恐れる者があるのか。しかし変化なくしてなにが生じえようぞ。宇宙の自然にとってこれよりも愛すべく親み深いものがあろうか。君自身だって、木がある変化を経なかったならば、熱い湯にひとつはいれるだろうか。もし食物が変化を経なかったならば、自分を養うことができるだろうか。そのほか必要な事柄のうちなにが変化なしに果されえようか、君自身の変化も同様なことで、宇宙の自然にとっても同様に必要であるのがわからないのか。

一九　あらゆる体は宇宙全体の物質によってあたかも奔流に流さるるがごとく運び去られ、「全体」に結びつき、我々の四肢が互いに協力するようにこれと協力する。

何人のクリューシッポス(16)、何人のソークラテース、何人のエピクテートス(17)を時がすでに呑みつくしてしまったことであろう。いかなる人間、いかなる事柄についても、このことを思い起せ。

二〇　たった一つのことが私の気にかかる。それは、どうか自分が、人間の構成素質の要求せぬことをやったり、要求せぬ方法でやったり、現在要求せぬことをやったりすることのないように、ということである。

二一　遠からず君はあらゆるものを忘れ、遠からずあらゆるものは君を忘れてしまうであろう。

二二　つまずく人びとをも愛するのが人間の特権である。これに到達するにはつぎのことを考えればよいだろう――彼らは君と同胞であり、無知のために知らずに罪を犯してしまったのである。間もなく彼らも君も死んでしまう。またなによりもまず彼は君に少しも害を与えはしなかった。なぜならば、彼は君の指導理性を以前よりも悪くしなかったから。――

二三　宇宙の自然は「全体」の物質を用いてあたかも蠟でものを作るように、ある時は馬を形作り、つぎにこれをこわし、その素材を用いて樹木をこしらえ、つぎには人間を、つぎにはまたなにかほかのものをこしらえる。(18) 各々のものはごく僅かな時間だけ存続するにすぎない。箱の身になってみれば、解体されるのも組立てられるのと同様、別に難儀なことはないのである。

二四　顔に怒りの色のあらわれているのは、ひどく自然に反することで、それがしばしば見られるときには、美は死んで行き、ついには全く再燃も不可能なほどに消滅してしまう。これは理性に反することであるとの結論をこの事実そのものからひき出して見よ。我々の過ちにたいする自覚がなくなったら、それ以上生きている甲斐があろうか。

二五　宇宙を支配する自然はすべて君の見るところのものを一瞬にして変化せしめ、その物質から他のものをこしらえ、さらにそれらのものの物質から他のものをこしらえ、こうして世界がつねに新たであるようにするのである。(19)

二六　人が君にたいして過ちを犯したとき、その人が善悪に関するいかなる観念をいだいてこのような悪事をしたのか直ちに考えてみるがよい[20]。それがわかったら、君はその人を憐みこそすれ、驚いたり怒ったりはせぬであろう。なぜならば君自身またその人と同じ善の観念を持っているか、あるいは大体同じような観念を持っているのだから[21]彼を許してやらなくてはならない。しかしもし君が善悪についてもはやそのような観念を持っていないなら、あやまった見方をしている者にたいして寛大な態度をとることは一層たやすいであろう。

二七　存在しないものを、すでに存在するものと考えるな。それよりも現存するものの中からもっとも有難いものを数えあげ、もしこれがなかったら、どんなにこれを追い求めたであろうかということを、これに関して忘れぬようにせよ。しかし同時に、これをたのしむあまり重要視しすぎる習慣に陥り、そのためにこれがなくなったら気も顚倒してしまうようなことにならないように注意せよ。

二八　自分の内に集中せよ[22]。理性的指導機能はその性質として、正しい行為をなし、それによって平安をうるときに自ら足れりとするものである。

一九　想像力を抹殺せよ。(23) 人形のように糸にあやつられるな。(24) 時を現在にかぎれ。君、または他人に起ってくる事柄を認識せよ。君の眼前にあるものを原因と素材とに区別し分析せよ。最期の時を考えよ。(25) 人が過ちを犯したら、その過ちは、これを犯した人のもとに留めておくがよい。(26)

二〇　人の話について行くためにできるかぎり努力せよ。物事の結果や原因の中へ心ではいり込むようにせよ。

二一　誠実と慎みをもって、また美徳と悪徳の中間にあるすべてのものにたいする無関心とをもって自己を輝かせよ。人類を愛せよ。神に従え。(27) ある人はいう。(28)「万物は法則に従う、ところが〔実はただ元素のみ〕」と。しかし万物は法則に従うとだけおぼえていれば充分。〔これできわめて簡潔だ。〕

二二　死について。原子ならば分散。統一ならば、消滅かもしくは移住。

三三　苦痛について。「耐えられぬものは殺す、長く続くものは耐えられるものである。[29]」精神は自己を取りもどすことによって平安を保ち、指導理性はそのために損なわれない。苦痛によって傷つけられた部分としては、できるものならこれについていいたいことをいうがよい。

三四　名誉について。彼らの精神を見よ、それがどんなものであるか、どんなものを避け、どんなものを追い求めるか。[30]あたかも砂丘がつぎからつぎへと上にかぶさってきて前のものを覆い隠してしまうように、人生においても初めのものはあとからくるものに間もなく覆い隠されてしまうことを考えよ。

三五　〔プラトーンから[31]〕「偉大な魂を持ち、全時間、全物質を包容しうる人にとって、人間の一生などというものが大事に見えると思うのか。」「そんなことはありえません」と彼はいった。「それならそういう人は死というものを恐しいことに思わないだろうね」「全然思わないでしょう。[32]」

三六　〔アンティステネース[33]から〕「善事をなして悪くいわれるのは王者らしいことだ。[34]」

三七　顔は従順に心の命ずるがままの形を取り、装いをつけるのに、心自身は自分の思うがままの形も取れず、装いもつけられぬとは恥ずかしいことだ。

三八　「物事にたいして腹を立てるのは無益なことだ。なぜなら物事のほうではそんなことにおかまいなしなのだから。[35]」

三九　「不死の神々と我々に喜ばしきことを与え給え！[36]」

四〇　「人生はみのり豊かなる穂のごとく刈入れられ、あるものは残り、あるものは倒れる。[37]」

四一　「たとえ私と私の二人の子供が神々から見棄てられたとしても、これにもまた道理があるのだ。[38]」

四二　「善と正義は我とともにあり。[39]」

四三「一緒になって大きな声で嘆かぬこと、騒がぬこと。[40]」

四四〔プラトーンから〕「私はこの人につぎのような正しい答えをするだろう。少しでも値打ちのある人間が生死の危険を慮《おもんぱか》るべきであると君は思うのか。それよりもなにかする際には、それが正しいか正しくないか、善い人間のすることか悪い人間のすることか、これのみを検討すべきであると思わないのか。それなら君はまちがっている。[41]」

四五「ああアテーナイ人よ、事情はまさにこの通りなのだ。私の考えでは、人が自らそこが一番よいと考えて身をおいた場所、あるいは指導者によっておかれた場所、そこにこそ踏み止まってあらゆる危険をおかすべきであり、不名誉を除いては死をもその他のものをも顧慮すべきでないのである。[42]」

四六「しかし君よ、高貴と善とは救うこと、救われることとは別ではないか、考えて見給え。寿命ということ――たとえそれがどんなに長いものであろうと――は真の人間として問題にすべきことではない。生命に執着すべきでなく、これを神に委ね、女たちと信をともにして、「なんぴとも自己の運命を避けることはできない」と考え、自分の生きるべき時[43]をどういうふうにしたらもっとも善く生きることができるか、これを考慮すべきである。」

四七　星とともに走っている者として星の運行をながめよ[44]。また元素が互いに変化し合うのを絶えず思い浮べよ。かかる想念は我々の地上生活の汚れを潔《きよ》め去ってくれる。

四八　つぎのプラトーンの言葉は立派だ[45]。人間について論ずる者は、高処から望むがごとく地上のことを見渡さなくてはいけない。人の群、軍隊、農業、結婚、離婚、誕生、死、法廷の喧騒、砂漠の地、さまざまの野蛮な種族、祭、喪、市場、あらゆるものの混合、また対照をなすものによって形成される全体の秩序[46]。

四九　昔起った出来事をよくながめ、現在おこなわれつつあるすべての変化をながめれば[47]、未来のことをも予見することができる。なぜならそれは必ず同様のものであろうし、現在生起しつつある物事のリズムから離れるわけにいかないであろうから。したがって人生を四十年間観察しようと一万年観察しようと同じことだ[48]。これ以上なにを見ようか。

五〇　「土から生まれたものは土にかえる。
しかしエーテルの中から
芽ばえ出てきたものは
天の穹窿《きゅうりゅう》へもどって行く。(49)」
すなわち原子間の組合せの解体かもしくは無感覚なる元素の分散であって、これも前者と同じようなものである。

五一　また
「食物や飲物や魔術の力を借りて
流れを逸《そ》らせ、死を免れようとする。(50)」
「神の許《もと》から吹き来る風は
かこたず労しつつ忍ぶのみ。(51)」

五二　「人より角力《すもう》がうまい(52)」、しかし社会公共につくす精神や慎みにおいては然らず、またなにごとか起ったときに取りみださぬことや、隣人の誤まった見解にたいして寛大であることなどにおいて人に優ってはいない。

五三　ある仕事を神々と人間に共通な理性に従[53]って果すことができる場合には、そこになんの恐るべきこともない。正しい道にかなった活動、自分の構成素質に応じた活動によって益を働くことができる場合には、なんの損害も懸念する必要はないのである。

五四　至るところ、至る時において君にできることは、現在自分の身に起っている事柄にたいして敬虔な満足の念をいだき、現在周囲にいる人びとにたいして正義にかなった振舞いをなし、現在考えていることに全注意を注ぎ、充分把握されていないものはいっさいそこに忍び込む余地のないようにすることである。

五五　他人の指導理性をながめまわすな。まっすぐにつぎのことを見よ。すなわち宇宙の自然は君に起ってくる事柄を通して、また君の(内なる)自然は君のなすべき行動を通してそれぞれ君を導くが、いったい自然は君をどこへ導いて行こうとするのか、それを見よ。そもそも人、各々はその構成素質にかなったことをおこなわなければならない。

しかるに他の動物はすべて理性的動物のために作られ、その他の場合においてもつねに低いものは高いもののために作られたが、理性的動物は相互のために作られたのである。(54)

したがって人間の構成素質の中で第一の特徴は社会性である。第二は肉体的欲情にたいする抵抗力である。というのは、理性的知性的な動きには独特な能力があって、周囲のものから自分を孤立させ、感覚や本能の動きに決して負けないのである。なぜならば後者は双方とも動物的である。ところが叡智の動きは優越を欲し、これらのものに克服されるのを肯《がえ》んじない。これは当然のことである。なぜならばその性質として叡智はすべて他のものを利用するようにできているからである。第三に理性的動物の構成素質には、軽率な判断を下さぬこと、たやすく欺かれぬこと、などの特徴がある。ゆえに君の指導理性をして以上の特徴を固守せしめ、まっすぐ道を歩ましめよ。そうしてこそ君の理性は自分の本分を全うするのである。

五六　あたかも君がすでに死んだ人間であるかのように、現在の瞬間が君の生涯の終局であるかのように、自然に従って余生をすごさなくてはならない。

五七　自分に起ることのみ、運命の糸が自分に織りなしてくれることのみを愛せよ。それよりも君にふさわしいことがありえようか。

五八　なにかことの起る度ごとに、同様なことが起ったとき悲しんだり、驚いたり、非難したりした人たちを目前に思い浮べてみるがよい。彼らは今どこにいるか。どこにもいない。ではどうだ。君も彼らの真似をしたいのか。ああいう他人の態度はそれを取る人、取られる人に任しておいたらどうなのだ。そして自分はいかにしてこの出来事を生かすべきかということに専心したらいいではないか。そうすれば君はこれをうまく用い、これは(修養のための)よき素材となるであろう。あらゆる行動に際して、ただ自己にたいして美しくあろうということのみが君の唯一の関心事であり念願でなくてはならない。〔そしてつぎの二つのことを記憶せよ。行為の機会はどうでもよい。(55)……〕

五九　自分の内を見よ。内にこそ善の泉があり、この泉は君がたえず掘り下げさえすれば、たえず湧き出るであろう。

六〇　肉体もまたがっしりかまえているべきであって、動作においても姿勢においても歪められていてはならない。なぜならば心が顔にある作用をおよぼして、これを理知的に優美に保つように、(56)身体全体の上にも同様なことが要求されるべきである。ただしこういうことはすべてわざとらしくては困る。

六一　処生術は舞踊(57)よりも角力《すもう》に似ている。なぜならそれは攻撃、しかも全く予期せぬような攻撃にたいしても用意して、びくともせずにかまえていなくてはならないからである。

六二　君が自分について証言を立ててもらいたいと思う人たちは誰であるか。(58)彼らはいかなる指導理性を持っているか。このことを絶えず考えるがよい。そうすれば知らずにつまずく人たちを非難することもないだろうし、彼らの意見や欲望の源泉をながめれば、その証言を欲しいとも思わなくなるであろう。

六三　「すべての魂は、その意志に反して真理を奪われている」(59)という。正義や節制や善意やその他あらゆる同様の徳についても同じことなのだ。このことをつねに念頭におく必要が絶対にある。なぜならば(それによって)君はすべての人にたいしてもっと優しくなるであろうから。

六四　すべて苦痛の際には、つぎの考えをすぐ念頭に浮べよ。すなわちこれは恥ずべきことではないこと。また君の舵《かじ》を取る精神を損なうものでもないこと。なぜなら精神は、それが理性的であるかぎりにおいて、また社会的であるかぎりにおいて、これによって損なわれるものではない。さらに非常に大きな苦痛に際しては、エピクーロスの言葉をもって君の助けとせよ。曰く「(苦痛は)耐えられぬものではなく、際限のないものでもない。[60]」ただし苦痛の限界を念頭においてこれに自分の想像を加えぬことを前提とする。またつぎのことをも記憶せよ。多くの不快事は、一見そう見えないかもしれないが、実際は苦痛同然のものであるということ。たとえば睡気、暑気、食欲不振。以上のいずれかのために不機嫌になった場合には、自分にこういいきかせるがよい。私は苦痛に降参しているのだ、と。

六五　人間ぎらいの人たちが人間にたいしていだくような感情を君自身その人たちにたいして絶対にいだかぬよう注意せよ。

六六　テーラウゲース(61)の人となりのほうがソークラテースのそれよりも優っていはしなかったか、いかにしてこれを知ろう。というのは、ソークラテースのほうがもっとはえある死を遂げたこと、詭弁哲学者《ソピステース》たちともっと上手に議論したこと、いてつく夜々をもっと我慢強くすごしたこと、(62)サラミース人を捕縛するようにいわれてもこれに肯《がえ》んじないほうが立派であると考えたこと、(63)また「反り身になって道を歩いていた(64)」こと——このことは、もしそれが本当ならば大いに注目に値するが——、以上のようなことだけでは充分ではないのである。考慮すべき点は、いかなる魂をソークラテースは持っていたか。人間との関係において正しくあり、神々との関係において敬虔であることに満足していることができたか。他人の悪を怒らず、他人の無知に奴隷のごとく奉仕せず、「全体」から自分に割りあてられたものを自分に関係のないものとして受けることもしなければ、耐え難きものとして忍ぶような態度もとらなかったか。また自分の叡智が肉の情に同情するのを許さなかったか。——以上の事項なのである。

六七　人間が自分を周囲から孤立させて自分のものを自分の勢力範囲におくことが許されないほど、それほど自然は君を全体の混合物の中にすっかり混ぜ合わせてしまっているわけではない。事実神々《こうごう》しい人間でありながら誰にもそうと気づかれないでいることはきわめてありうることである。このことをつねに記憶せよ。また、人生の幸福は非常に少ないものにかかっている、ということを。論証法学者《ディアレクティコス》や物理学者《ピュシコス》[65]になる希望を失ったからといって、そのために自由な謙遜な人間、社会につくし神に従う人間になることをも放棄してはならない。

六八　たとえ万人が君に抗して勝手なことを叫ぼうとも、たとえ野獣どもが君のまわりに厚く蓄積した捏《ね》り物(すなわち肉体)の四肢を八つ裂きにしようとも、なんの強制を受けることなく、喜びに満ちた心で生涯をすごせ[66]。すべてかかる苦境において自分の心を平静に保ち、周囲の物事に関して正しい判断を持ち、遭遇するものをつねによく利用するだけの心がまえをしておくのになんの差支えがあろうか。こうしておけば自分の出くわす物事にたいして判断力はつぎのごとくいえるはずである。「たとえ一般の人の意見ではちがったもののようであっても、本質においてはこれこれなのである[67]」と。また物事を利用する能力は自分に起った事柄に向かってつぎのごとくいえるはずである。「私は汝を求めていた。なぜなら私にとって現在与えられるものはつねに理性的および社会的な徳を発揮するための材料であって、一言にしていえば人間または神のわざに用うべき素材なのである」と。まことにすべて生起する事柄は神または人間に関係の深いもので、新しくもなければ扱い難くもなく、親しみ深く処理しやすいものである。

六九　完全な人格の特徴は、毎日をあたかもそれが自分の最後の日であるかのごとく過ごし[68]、動揺もなく麻痺もなく偽善もないことにある。

七〇　不死なる神々は、こんなに長い間こんな人間ども、それもこんなに大勢のやくざな人間どもを絶えず我慢しなくてはならないことを不快に思ってはいられない。それのみか、種々さまざまのやりかたで人間どもの世話を焼いて下さる[69]。ところが君ときたら、もうすぐ死ぬくせに、参ってしまうのか。しかも君自身そのやくざな人間の一人でありながら？

七一　笑止千万なことには、人間は自分の悪を避けない。ところがそれは可能なのだ。しかし他人の悪は避ける。ところがそれは不可能なのである[70]。

七二　我々の理性的および社会的能力が理性的とも社会的とも認めぬものは、自分よりも低いものであると判断して充分根拠のあることだ。

七三　君が善事をなし、他人が君のおかげで善い思いをしたときに、なぜ君は馬鹿者どものごとく、そのほかにまだ第三のものを求め、善いことをしたという評判や、その報酬を受けたいなどと考えるのか。[71]

七四　なんぴとも利益を受けることに倦《う》み疲れはしない。しかるに自然にかなった行為こそ有益なのである。ゆえに人を益することによって自分の身をも益することに倦むな。

七五　「全体」の自然は自己の衝動によって宇宙の創造に向かった。ところが現在は、すべての出来事は因果律に従って生ずるか、[72] もしくはすべて非合理的であって、宇宙の指導理性が自己の固有の衝動を向けるもっとも重大なことでさえも例外ではないかである。[73] 多くの場合においてこのことを思い起せば君ももっと平静になるであろう。

第八巻

一　つぎのこともまた虚栄心を棄てるのに役立つ。君の生涯全体、あるいは少なくとも君の若いとき以来の生涯を、哲学者として生きたとするわけにはもういかない、という事実だ。多くの他人や君自身にも明らかなことだが、君は哲学から遠く離れている。だから君は面目を失い、もはや容易なことでは哲学者としての名声をかちうることはできない。根底の条件からしてこれに反しているのだ。(1) ゆえにもし君が問題の所在を真に理解したのならば、人が君のことをなんと思うかなどと気にするのは止めて、君の余生が長かろうと短かろうと、これを自然の欲するがままに生きることができたら、それで満足せよ。したがって自然がなにを欲するかをよく考え、ほかのことに気を散らすな。君も経験して知っているように、今まで君はどれだけ道を踏み迷ったことかしれない。そして結局どこにも真の生活は見つからなかったのだ。それは三段論法をあやつること(2)にもなく、富にもなく、名声にもなく、享楽にもなく、どこにもない。ではどこにあるのか。人間の(内なる)自然の求めるところをなすにある。ではいかにしてこれをなすか。

自己の衝動や行動の源泉として幾つかの信条《ドグマ》を持つことによって。いかなる信条か。善と悪に関するもので、たとえば人間を正しく、節制的に、雄々しく、自由にしないものは、いかなるものといえども人間にとって善きものではない、ということや、人間を右記の反対にしないものは、いかなるものといえども人間にとって悪いものではない、というがごときである。

二　一つ一つの行為に際して自ら問うて見よ。「これは自分といかなる関係があるか。これを後悔するようなことはないだろうか」と。瞬《また》く間に私は死んでしまい、それまでの間のこともすべてすぎ去ってしまう。現在私のなすことが、叡智を持つ、社会的な、神と同じ法律の下にある人間の仕事であるならば、それ以上なにを求めようか。

三　アレクサンドロス、ガーイウス（・カエサル）、ポンペイウス(3)等はディオゲネース(4)、ヘーラクレイトス、ソークラテース(5)にくらべてなんであろう。後者の人びとは事物やその原因やその物質を知っており、その指導理性《ト・ヘーゲモニコン》は〔彼ら自身のもの〕(6)であった。これに反し前者においてはなんと多くの心労となんと多くのものへの隷属のあったことであろう。

四　よし君が怒って破裂したところで、彼らは少しも遠慮せずに同じことをやりつづけるであろう。

五　なによりもまず、いらいらするな。なぜならすべては宇宙の自然に従っているのだ。そしてまもなく君は何ものでもなくなり、どこにもいなくなる。ちょうどハードリアーヌスもアウグストゥスもいなくなってしまったように。(7) つぎに自分の任務にじっと目を注ぎ、とくとながめるがよい。そして君は善き人間であらねばならぬことを思い起し、人間の(内なる)自然の要求するところをわき目もふらずにやれ。また君にもっとも正しく思われるように語れ。ただし善意をもって、つつましく、うわべを取りつくろうことなしに。

六　宇宙の自然はその任務として、ここのものをかしこに移して変化せしめ、またそこから取って他のところへ持って行く。万物は変化しつつある。しかしなに一つ新しいものの出現する恐れはない。すべては習慣的のもので、その配分もまた同じである。

七　すべて自然というものは自己の道を正しく歩むことで満足している。理性的な自然がその道を正しく歩むのはつぎのような場合である。すなわちその思念において虚偽や曖昧なことに同意を与えず、衝動をただ公益的な仕事にのみ向け、好き嫌いを我々の力でどうにでもなることにのみかぎり、(8)宇宙の自然によって割りあてられるものをすべて歓迎する、こういう場合である。なぜならばあたかも葉の自然がその植物全体の自然の一部であるがごとく、理性的な自然もまた宇宙の自然の一部なのである。ただし前者においては葉の自然は無感覚無理性の自然、拘束されうる自然の一部であるに反し、人間の自然は拘束されえぬ、叡智的な、正しい自然の一部なのである。なぜならばこの自然は各人に平等にかつ各々の価値に応じて、時、物質、原因、活動、事件等の分け前を与える。ただしこの際考慮すべきは、一つ一つのことが互いに平等であるかどうかということではなく、ある人に与えられたものが全体として他の人に与えられているものの総和に等しいかどうかということである。

八　「読書は君に許されていない。(9)」しかし横柄な振舞いを抑えることはできる。快楽や苦痛を超越することはできる。つまらぬ名誉欲を超越することはできる。粗野な人びとや恩知らずの人びとに腹を立てぬこと、それのみか彼らの面倒まで見てやることはできる。

九　君が宮廷生活の不平をこぼすのをこれ以上誰も聞かされることのないように、また君自身も君のこぼすのを聞かされることのないようにせよ。

一〇　後悔とはなにか有益なものを取逃してしまったことにたいする自責のようなものである。しかるに善きものは必然的に有益なものであり、真の善き人によって追求さるべきものである。ところが真の善き人はある快楽を取逃したからといって後悔などしないであろう。したがって快楽は有益でもなければ善くもないのである。(10)

一一　このものはそれ自体、その固有な構成においてなんであるか。その物質と素材は？　その形相因は？　これは宇宙においてなにをなすか。どれだけの間存続するか。(11)

一二　眠りから起きるのがつらいときには、(12)つぎのことを思い起せ。社会に役立つ行為を果すのは君の構成素質にかなったことであり、人間の（内なる）自然にかなったことであるが、睡眠は理性のない動物にさえも共通のことである。しかるに各個人の自然にかなったことはその人にとってなによりも特有なことであり、なによりもふさわしいことであり、したがってなによりも快適なはずである。

一三　つねに、そしてできることならあらゆる場合において、自分の思念に物理学、倫理学、論理学《ディアレクティケー》(13)の原理を適用してみること。

一四　なんぴとに出くわそうとも、ただちにまず自問せよ。「この人間は善悪に関していかなる信念を持っているか」と。もしその人が、快楽、苦痛、およびその双方を創り出すものについて、また名誉と不名誉、死と生について、これこれの信念を持っているならば、彼がこれこれのことをしても、私にとってなんら驚くべきことにも不思議なことにも思われないであろう。(14)そして私は、彼がかく行動せざるをえないのだということを記憶するであろう。

一五　つぎのことを記憶せよ。無花果《いちじく》の樹が無花果の実をつけるのを驚いたら恥ずかしいことであるように、(15)宇宙がその本来結ぶべき実を結ぶのを驚くのも恥ずかしいことである。同様に医者や舵取りが患者に熱のあるのや逆風の吹くのを驚くのも恥ずかしいことである。

一六　つぎのことを記憶せよ。自分の意見を変え、自分の誤りを是正してくれる人に従うこと(16)もまた一つの自由行動である。なぜならば君の衝動と判断と、しかり君の叡智に従って遂行される行動は君自身のものなのであるから。

一七　もしこのことが君の力でどうにでもなることならなぜそれをやるのか。もし他人の一存にかかっていることなら、誰を責めるのだ。原子か、それとも神々か。いずれにしても狂気の沙汰だ、誰も責めるべきではない。君にできるなら、(過ちを犯した者)を匡正《きょうせい》してやれ。できないなら、そのこと自体を是正せよ。これもできないなら、責めたとて君にもはやなんの利益があろう。なにごとも目的なしにおこなってはならない。

一八　死んだものは宇宙の外へ落ちはしない。ここに留まるとすれば、さらにここで変化し、分解してその固有の元素に還る。それは宇宙の元素であり、また君の元素でもある。さらにこれらもまた変化し、ぶつぶつ呟きはしない。

一九　万物はそれぞれある目的のために存在する、馬も、葡萄《ぶどう》の樹も。なぜ君は驚くのか。太陽すらいうであろう。「自分はある仕事を果すために生まれた」と。(17)その他の神々も同じこと。では君はなんのために？　快楽のためにこの考えが許容されうるかどうか見よ。

二〇　自然はものの発端や経過のみならずその終末をも自己の目標の中に入れた。たとえていえばこれはボール投げをする人の場合と趣を同じゅうする。ところで、ボールの身になってみれば、投げ上げられるときになんの善いことがあり、落下するとき、あるいは地に落ちたときになんの悪いことがあろうか。水に泡ができるときにはなんの善いことがあり、(18)これがつぶれるときにはなんの悪いことがあろうか。灯りについても同断である。

二一　その身体をうらがえしてみてどんなものであるか調べよ。年取るとどんなになるか。病んだときには、息を引取るときにはどうか。

人生は短い。褒める者にとっても褒められる者にとっても、記憶する者にとっても記憶される者にとっても。しかもすべてこの地域のこの小さな片隅でのこと。(19)その上そこでは万人互いに一致しているわけでもなく、個人にしても一人として自己と一致している者はない。また地球全体は一点にすぎない。

二二 目前の事柄、行動、信念、または意味されるところのものに注意を向けよ。

君[20]がそんな目に遭うのは当り前さ。君は今日善い人間になるよりも明日なろうというんだ。

二三 なにごとかなすか。私はこれを人類の福祉に関連させてなす。なにごとか起るか。私はこれを神々に関連させ、あらゆるものがそこから一丸となって出てくる万物の源泉に関連させて受け入れる。

二四 入浴ということについて君が思い浮べること——油、汗、垢、どろどろした水、ことごとく胸が悪くなるようなもの——これと同様なのが人生のあらゆる部面であり、すべて眼前によこたわるものである。

二五 ルーキッラはウェールス[21]を埋葬し、つぎにルーキッラが埋葬された。セクンダ[22]はマクシムスを埋葬し、それからセクンダの番。エピテュンカノスはディオティーモス[23]を、それからエピテュンカノスの番。アントーニーヌスはファウスティーナ[24]を、それからアントーニーヌスの番。いつでも同じこと。ケレル[25]はハードリアーヌス[26]を埋葬し、それからケレル自身が埋葬された。またあの辛辣な人びと、予言能力のある人びとや思い上がった人びとはどこにいるか。たとえばカラクス[27]や〔プラトーン学派の人〕デーメートリオス[28]やエウダイモーン[29]やその他同様の辛辣な人びと。すべてははかなく、とうの昔に逝ってしまった。ある者は束の間も記憶に残らず、ある者は伝説化し、ある者はすでに伝説からも消え失せてしまった[30]。ゆえに記憶せよ、君という一小化合物は分散してしまうか、あるいは君の息が消滅してしまうか、それとも場所を変えてよそにおかれるか、このいずれかが君の運命であることを。

二六　人間の喜びは人間固有の仕事をなすにある。人間固有の仕事とは同胞にたいする親切、感覚の動きにたいする軽蔑、信ずべく見える思想の真偽の鑑別、宇宙の自然およびこれに従って生成する事柄の観照等にある。

二七　三つの関係——第一に自分を包容する器にたいして。第二に万人にとって万物の

源泉なる神的原因にたいして。第三に生活をともにしている人びとにたいして。(31)

二八　苦痛は肉体にとって悪いことであるか──それならば肉体はそうはっきりいうがいい(32)──さもなくば魂にとって悪いことである。ところが魂は、自分自身の晴れやかさと安らかさとを守り、それを悪いことと考えないでいることができる。なぜならば、もろもろの判断と衝動と欲望と嫌悪とは我々の内心の事柄であって、何ものもそこまであがり込むものはないからである。

二九　君の想念を抹殺してしまえ、(33)その際絶えず自分につぎのごとくいいきかせるがよい。「いま自分の考え一つでこの魂の中に悪意も色情も、心を乱すものはいっさい存在しないようにすることができるのだ。また万物をあるがままの姿で見きわめ、各々その価値に応じて遇することができるのだ(34)」と。自然によって与えられている君のこの能力を銘記せよ。

三〇　元老院において、またあらゆる人びとにたいして、整然と、判然と話すこと。健全な言葉づかいをすること。

三二　アウグストゥス[35]の宮廷——その妻、[36]娘、[37]子孫、[38]祖先、[39]姉妹、[40]アグリッパ、[41]親類、一族郎党、友だち、アレイオス、[42]マエケーナス、[43]医者、司祭たち——この宮廷の人びとは一人残らず死んでしまった。つぎに他の例に目を転じて見よ。それも一人の人間の死ではなく、たとえばポンペイウス[44]一族全体の死である。また墓碑に記してあるあの言葉「一族の最後の者」を思いめぐらすがよい。その人間の祖先たちは誰かしら相続人《あとつぎ》を残そうとしてどんなに心を悩ましたことであろう。しかしついにはどうしても誰かが最後の者にならねばならなかった。ここにもある一族全体の死が再現したのであった。

三三　人生を建設するには一つ一つの行動からやっていかなくてはならない。そして個々の行動ができるかぎりその目的を果すならばそれで満足すべきだ。しかるに個々の行動がその目的を果すようにするのを、誰一人君に妨げうる者はない。「ところが外側からなにかの障碍が起ってくるだろう。」しかし君が正しく、慎み深く、思慮深く行動するのを妨げうる者はない。[45]「だが、もしなにかほかの形の行動が妨げられたらどうする。」その場合にはその障碍を快く受け入れ、思慮分別をもって許されていることに転向すれば、ただちに他の行動——さきほど話していた人生建設にあてはまるような行動をもってこれに代えることができるであろう(46)。

三三　得意にならずに受け、いさぎよく手放すこと。

三四　ひょっとしたら君は見たことがあるだろう、手、または足の切断されたのを、または首が切り取られて、残りの肢体《からだ》から少し離れたところに横たわっているのを。起ってくる事柄をいやがったり、他の人たちから別になったり、非社会的な行動を取ったりする者は、それと同じようなことを自分にたいしてするわけである。君は自然による統一の外へ放り出されてしまったのだ。君は生まれつきその一部分だった。ところが現在は自分で自分を切り離してしまったのだ。ただしここで素晴しいことには、君は再び自分を全体の統一にもどすことが許されている(47)。そもそも一度ばらばらに切り離されたものが再び元通りに集まる、というようなことは、他のいかなる部分にも神の許し給わなかったところなのだが、見よ、光栄にも神が人間に注ぎ給うた慈愛を。神は人間に全体から決して離れないようにする力を与え、またたとえ離れても、もう一度元のところへもどって一緒になり、全体の中の一部分としての位置を再び占めることができるようにして下さったのである。

三五　理性的動物の自然は各々の理性的動物にほとんどすべての他の能力を与えたが、同様に我々はつぎの能力をもこの自然から与えられている。すなわちあたかも自然が自己に干渉するものや反対するものをことごとく自己の目的にかなうように形成し、運命の定めた秩序の中へ整理し、自己の一部となしてしまうがごとく、理性的動物もその目的とするところがなんであろうと、あらゆる障碍物を自己の素材としてそのために利用することができるのである。(48)

三六　君の全生涯を心に思い浮べて気持をかき乱すな。どんな苦労が、どれほどの苦労が待っていることだろう、と心の中で推測するな。(49)それよりも一つ一つ現在起ってくる事柄に際して自己に問うてみよ。「このことのなにが耐え難く忍び難いのか」と。まったくそれを告白するのを君は恥じるだろう。つぎに思い起すがよい。君の重荷となるのは未来でもなく、過去でもなく、つねに現在であることを。しかしこれもそれだけ切り離して考えてみれば小さなことになってしまう。またこれっぱかしのことに対抗することができないような場合には、自分の心を大いに責めてやれば結局なんでもないことになってしまうものである。

三七　パンテイア[50]、またはペルガモス[51]はその主人の骨壺の傍に今日もなお座しているだろうか。カブリアースやディオティーモス[52]もハードリアーヌスの壺の傍に座っているだろうか。笑止千万な話だ。もし彼らがずっと座りつづけていたならば、主人たちは気がついたであろうか。もし気がついたのなら、喜んだであろうか。もし喜んだのなら、それでこの召使いたちは不死身になるだろうか。彼らもまた老婆や老人になるべく初めから運命づけられ、それから死ぬべく定められていたのではないのか。この人たちが死んでしまったら、その後あの主人たちはいったいどうしたらいいのだろう。以上なにからなにまで悪臭芬々《ふんぷん》として、まるで皮袋一杯の汚血のようだ[53]。

三八　もし君に鋭い眼があるなら、諺にあるように「もっとも〔賢く判断しつつ〕」見よ[54]。

三九　理性的動物の構成素質において正義と相容れない徳は見られない。しかし快楽と相容れないものとしては節制が見られる[55]。

四〇　自分を苦しめると思われるものについての君の意見を取り除いてしまえば、君は自分をもっとも安全なところにおくことになる。[56]「自分とはなにか。」理性のことだ。「しかし私は理性ではない。」それならそれでいい。だが少なくとも理性が自分で自分を苦しめることのないようにせよ。君のほかの部分が具合悪くなった場合には、その部分自体に自己についての意見をいだかしめればいいのだ。

四　感覚の妨害は動物的自然にとって悪いことである。同様に衝動の妨害も動物的自然にとって悪いことである。同じく他の種類の妨害で植物の構成素質にとって悪いことがある。同様に叡智の妨害も叡智的自然にとって悪いことである。以上のことをみな君自身にあてはめてみよ。苦痛か快楽が君を捕えるというのか。それは感覚が引受ければよい。ある衝動に駆られて行動しようとして障碍に出遭ったというのか。もし君が無条件に衝動に従うなら、[57]それは理性的動物としての君にとってすでに悪いことである。しかしもし(叡智)を保持するならば、[58]君は未だなんの損害も妨害も受けてはいないのだ。そもそも叡智の固有の働きを妨害する習慣のある者は(君自身を除いては)ほかにない。火も鉄も暴君も誹謗も何ものもこれに触れうるものはないのである。「いったん球状になると、どこまでも丸い形のままでいる。[59]」

四二　私は自分を苦しめる理由がない。なぜなら私は未だかつて他人を意識的に苦しめたことはないのだから。

四三　あることはある人を喜ばせ、また別のことが別の人を喜ばせる。私にとって喜ばしいこととは、自分の指導理性《ト・ヘーゲモニコン》を健全に保つことで、これがいかなる人間にたいしても、また人間に起ってくるいかなる事柄にたいしても嫌悪の念をいだくことなく、あらゆるものを善意にみちた眼でながめ、あらゆるものを受け入れ、各々その価値に従って利用するようであってくれればそれが私の喜びなのである。

四四　現在の時を自分への贈物として与えるように心がけるがよい。それよりも死後の名声を追い求めるほうを選ぶ人は、つぎのことに気がつかないのだ。すなわち未来の人たちも、現在重荷に思われる人びととまったく同じような人間であり、やはり死すべき人間であるということである。いずれにせよ、その人たちが君についてこれこれの反響を示したり、君についてこれこれの意見を持つとしたところで、それがいったい君にとってなんであろうか(60)。

四五　私を取り上げてどこでも君の好きなところへ投げ給え。私はそこでも私のダイモーンを平静に保つであろう[61]。平静とはすなわち、自分が自己の構成素質にかなった態度と行動を取るならばそれで満足している、という意味である。

このことのために私の魂が苦しみ、真の自己よりも卑しくなり、低くなり、がつがつし、溺れ、驚愕する――いったいこれはそれほど価値のあることであろうか。そもそもこんなことに値するほどのものを君は発見できるだろうか。

四六　人間には、人間的でない出来事は起りえない。牡牛には、牡牛にとって自然でない出来事は起りえない。葡萄の樹には、葡萄に自然でない出来事は起りえない。また石にも、石に特有でないことは起りえない。かように、もし各々のものにおきまりの自然なことのみ起るのならば[62]、なぜ君は不満をいだくのか。宇宙の自然は君に耐えられぬようなものはなにももたらさなかったではないか[63]。

四七　君がなにか外的の理由で苦しむとすれば、君を悩ますのはそのこと自体ではなくて、それに関する君の判断なのだ。ところがその判断は君の考え一つでたちまち抹殺してしまうことができる[64]。また君を苦しめるものがなにか君自身の心の持ちようの中にあるものならば、自分の考え方を正すのを誰が妨げよう。同様に、もし君が自分に健全だと思われる行動を取らないために苦しんでいるとすれば、そんなに苦しむ代りになぜいっそその行動を取らないのだ。「しかし打ち勝ち難い障碍物が横たわっている。」それなら苦しむな、その行動を取らないのは君のせいではないのだから。「けれどもそれをしないでは生きている甲斐がない。」それならば人生から去って行け。自分のしたいことをやりとげて死ぬ者のように善意にみちた心をもって、また同時に障碍物にたいしてもおだやかな気持をいだいて去って行け[65]。

四八　おぼえておくこと。我々の指導理性が難攻不落になるのはどういうときかというと、これが自分自身に集中し、自己の欲せぬことはおこなわずに満足している場合である。これはたとえその拒絶が理性的なものでないときでもそうであるが、ましてあることに関し理性をもって、よく見きわめた上で判断する場合にはどんなであろう。それゆえに、激情から解放されている精神というものは、一つの城砦である[66]。一たびそこへ避難すれば以後絶対に犯されることのないところで、人間にこれ以上安全堅固な場所はないのである。ゆえにこれを発見しない者は無知であり、これを発見しておきながらそこへ避難しない者は不幸である。

四九　最初の知覚が報告するもの以上のことはいっさい自分にいってきかすな。だれそれが君のことをひどく悪くいっている、と人に告げられた。これはたしかに告げられた。しかし、君が損害を受けた、とは告げられなかった。私は自分の子供が病んでいるのを見る。それは見る。しかし彼が危険に陥っているとは見ない。かように、つねに最初の知覚に留まり、自己の中から何ものをもこれに加えないようにすれば、君に何ごとも起らないのである。あるいはそれよりもむしろ、宇宙の中に起るありとあらゆることをわきまえている者として、自分の考えを加えるがよい。(67)(68)

五〇　「この胡瓜はにがい。」棄てるがいい。「道に茨《いばら》がある。」避けるがいい。それで充分だ。「なぜこんなものが世の中にあるんだろう」などと加えるな。そんなことをいったら君は自然を究めている人間に笑われるぞ。もし君が大工や靴屋に向かって、その仕事場に彼らのこしらえているものから出たかんな屑《くず》やけずり屑があるといって責めたら、その人たちに笑われることだろうが、それと同じわけだ。ただしこの人たちはその屑を捨てるところを持っているが、宇宙の自然は自分以外にはなにも持っていない。しかしここにその技術の素晴らしさがあるのであって、自然は自分自身にかぎられておりながら、その中において腐敗したり、老廃したり、不用になったりしたように思われるものをことごとく自分自身に変化せしめ、これらのものの自体から他の新しいものを再び創り出すのである(69)。こんな次第であるから、自然は自分以外の物質には用がないし、老廃物を捨てる場所も必要としない。自分の場所、自分の材料、自己独特の技術でこと足りるのである。

五一　行動においては杜撰《ずさん》になるな。会話においては混乱するな。思想においては迷うな。魂においてはまったく自己に集中してしまうこともなく、さりとて外に飛散してしまうこともないようにせよ。人生においては余裕を失うな。

「彼らは殺す、肉を寸断する、呪詛をもって追跡する！」しかし君の精神が潔く、賢く、慎み深く、正しくあり続けることにたいして、それがなんの関係があろう(70)。それはあたかも透明な甘い水の湧く泉の傍に立ってこれを罵《ののし》る者のようだ。泉は清水をほとばしらせるのをやめはしない。その中に泥を投げ込もうと、糞を投げ込もうと、たちまちこれを散らし、洗い去り、微塵《みじん》の汚れも留めないであろう。しからば君はどうすれば単なる井戸ではなく、つきることのない泉を(内に)持つことができるであろうか。それにはいつでも善意と誠実と慎みをもって、自由の方向へと自己を守り続ければよいのである。

五二　宇宙がなんであるかを知らぬ者は、自分がどこにいるかを知らない。宇宙がなんのために存在しているかを知らぬ者は、自分がなんであるかを知らず、宇宙がなんであるかをも知らない(71)。しかるにこのような問題を一つでも等閑に付しておいた者は、自分がなんのために存在するかいえないであろう。しからば、自分たちがどこにいるかということも、何者であるかということも知らないで(むやみに)拍手喝采するような連中の〔非難を避けたり賞讃を求めたりする〕(72)人間――こういう人間を君はどう考えるか。

五三　一時間のうちに三度も自分自身を呪うような人間に君は賞められたいのか。自分自身にも気にいらないような人間に気にいられたいのか。自分のやったことのほとんど全部を後悔するような人間が、自分自身に気にいっているといえようか。

五四　もはや単に自己をとりまく大気とともに息づくに留めず、これからは自己をとりまく叡智とも思索をともにせよ(73)。というのは、呼吸能力を有する者にたいする空気の場合のごとく、叡智は至るところにゆきわたり、これを取りいれうる者の周囲に瀰漫《びまん》しているのである。

五五　一般にいって悪徳は宇宙に全然害を与えない。また個々の悪徳は他人に全然害を与えず、その個人にとってのみ有害であるが、その人間はいつでもそうしたいと思うときにただちにこれをおいはらう能力を与えられているのである。

五六　私の自由意志にとって隣人の自由意志は無関係の事柄である。それは彼の息と肉が私に無関係なのと同様である。たとえ我々がいかに特別にお互い同士のために作られているとしても、我々の指導理性はそれぞれ自己の主権を持っているのである。さもなければ隣人の悪徳は私のわざわいとなってしまうであろう。しかし神はこれを善しとせず、私を不幸にする自由を他人に与えぬようにして下さった。[74]

五七　太陽の光は降り注がれているように見える。まったくそれは至るところに拡散している。しかし涸渇することはない。なぜならこの拡散は一つの拡張なのである。いずれにせよ太陽の光線は「拡張線」[75](aktines)と呼ばれるが、これは「拡張する」(ekteine-sthai)という言葉からきている。光線がなんであるかということは、隙間を通して太陽の光が暗い室の中に射し込むのをながめれば君にわかるだろう。光はまっすぐ拡がって行って、なにか固体にぶつかり、その固体がその向こうの空気を遮断すれば、光はその上にいわば押しつけられてしまう。そしてそこにじっとしていて、滑りもせず落ちもしない。精神の拡散と波及もこのようでなくてはならない。決して涸渇することなく拡張し、途上どんな障碍物に出遭ってもこれにひどく猛烈にぶつかることをせず、倒れ落ちもせず、自分を受け入れるものの上にしっかりと立ち、これを照らすべきである。まことにこの光を受け入れぬものは、自分で自分からこの光を奪い取ってしまうのである。

五八　死を恐れる者は無感覚を恐れるか、もしくは異なった感覚を恐れるのである。しかし(死後は)もう感覚が無いのだとすれば、君はなんの害悪も感じないであろう。またもし別の感覚を獲得するならば、君は別の存在となり、生きるのは止めないであろう[76]。

五九　人類はお互い同士のために創られた。ゆえに彼らを教えるか、さもなくば耐え忍べ[77]。

六〇　矢の動き、精神の動きはそれぞれちがう。それにもかかわらず、精神が慎重に自己を省みているときやある考察に専念しているときには、矢の場合に劣らずまっすぐに飛んでその目的に向かうのである。

六一　一人一人の指導理性の中へはいって行け。またあらゆる人に君の指導理性の中へはいらせてやれ。(78)

第九巻

一　不正は不敬虔である。なぜならば宇宙の自然は理性的動物を相互のためにこしらえ、彼らがそれぞれの価値に応じて互いに益し合うようにしたのであって、決して互いに害し合うようにはこしらえなかったのである。したがってこの自然の意志にそむく者は、明らかに神々の中でもっとも尊ぶべき方にたいして不敬虔なのである。

嘘つきもまた同じ神にたいする不敬虔である。なぜならば宇宙の自然はあらゆる存在の自然であり、あらゆる存在は今までに存在したあらゆるものと密接なつながりを持っている。その上この自然は真理とも呼ばれ、あらゆる真なるものの第一原因である。したがって自ら進んで嘘をつく者は、人を欺くことによって不正行為を犯すというかぎりにおいて不敬虔なのである。またいやいやながら嘘をつく者も、宇宙の自然と不調和であるというかぎりにおいて、また宇宙の自然に反逆して不秩序をもたらすというかぎりにおいて、やはり不敬虔なのである。なぜならば、たとえ自己の意志に反してであっても、真なるものに反する立場に与するものは、自然に反逆するのである。彼は最初偽りのものと真のものをみわける能力を自然から授かっていたのだが、これをなおざりにしたために現在ではそれができなくなってしまったのである。[1]

このほかに、快楽を善きものとして追い求め、苦痛を悪しきものにして避ける者も不敬虔である。なぜならこのような人間は必ず宇宙の自然にたいしてたびたびつぎのような非難を口にせざるをえないであろう。自然は悪人と善人にたいする配剤において不公平である。なぜならしばしば悪人は快楽の中にすごし、快楽をもたらすものをことごとく持っている。しかるに善人は苦痛やこれをもたらすものに遭遇するではないか、と。[2]さらに苦痛を恐れる者は、世の中に生ずべきものをいつの日にか恐れるに至るであろう。これはすでに不敬虔である。また快楽を追い求める者は、不正から離れていられないであろう。これは明らかに不敬虔である。

このような次第であるから、宇宙の自然が無関心の態度を取る事柄にたいしては、――なぜならば、もし彼女が両者にたいして無関心でなかったならば、双方を作らなかったであろう――[3]このような事柄にたいしては、自然と同じ考えを持ってこれに従っていきたいと思う者もまた無関心な態度を取らなくてはならない。したがって、苦痛と快楽、死と生、名誉と不名誉等、宇宙の自然が無関心な態度をもって扱うものにたいして自分もまた無関心な態度を取らない者は、明らかに不敬虔である。宇宙の自然がこれらを無関心な態度をもって扱うという意味は、すべてのことがつぎつぎと、ある連鎖に従って、現在生まれる者や後に生まれて来る者の上に無差別に起ってくるということをいおうとしているのである。それは摂理の或る根原的な衝動によって起るのであって、[4]その衝動に従って摂理はある出発点からこの宇宙の組織をこしらえ出したのである。その際彼女は、来るべきものに関するある種の原理[5]を抱懐し、このような物質と変化と継続とを生み出す力を定めたのである。

二　嘘の味もいっさいの偽りや奢侈や傲慢の味も知らずに人類の中から去って行くのは、たしかに人間として一層好ましいことである。しかし、これらのものにあきあきして息を引き取るのもまた「次善の道」[6]である。それとも君は悪になずむことを選ぶのか。この疫病から逃げろと経験が君に説得しないのか。まったく精神の堕落というものは、我々をとりまく空気のいかなる汚染や変化[7]よりもはるかにひどい疫病である。なぜなら後者は動物の疫病で、動物性に影響をおよぼし、前者は人間の疫病で、人間性に影響をおよぼすからである。

三　死を軽蔑するな。[8]これもまた自然の欲するものの一つであるから歓迎せよ。たとえば若いこと、年取ること、成長すること、成熟すること、歯やひげや白髪の生えること、受胎すること、妊娠すること、出産すること、その他すべて君の人生のさまざまな季節のもたらす自然の働きのごとく、分解することもまた同様の現象なのである。したがってこのことをよく考えぬいた人間にふさわしい態度は、死にたいして無関心であるのでもなく、烈《はげ》しい気持をいだくのでもなく、侮蔑するのでもなく、自然の働きの一つとしてこれを待つことである。そしてちょうど今君が妻の胎から子供が産まれ出る時を(9)待っているように、君の魂がその被いから脱け出す時を期して待つがよい。

しかしもし心惹かれるような一般向けの処世訓が欲しいならば、なによりも君を死にたいして平気にしてくれるのは、君が今に離れて行く周囲のものをながめ、また君の魂が今にもうかかわり合わずに済むようになる人びとの性質をながめることであろう。もちろん彼らにたいして毫《ごう》も腹を立ててはならない。むしろ彼らと仲良くし、優しくつきあってやらなくてはいけない。とはいえ記憶すべきは、君と信念を同じゅうしない人びとから今に解放されるのだということである。なぜなら我々を人生に引留め、我々をそこに繋《つな》いでおきうるものがあるとすれば、そのただ一つのものは、もし我々が自分と同じ信念の人びととともに生きることが許されていたら、という場合なのである。しかし君はもう知っている、人びととともに暮すことの不調和がどんな疲労をもたらすかを。

そのあげく君はつぎのような言葉を発するに至るのだ。「急ぎ来れ、おお死よ、万一私まで自己の本分を忘れてしまうことのないように！」

四　罪を犯す者は自分自身にたいして罪を犯すのである。不正な者は、自分を悪者にするのであるから、自分にたいして不正なのである。(10)

五　あることをなしたために不正である場合のみならず、あることをなさないために不正である場合も少なくない。

六　現在の意見が納得のゆくものであり、現在の行為が社会に役立つものであり、現在の態度が外的な原因から生じ来るすべての事柄にたいして満足するていのものならば、それで充分なのである。

七　想像の産物は抹殺してしまえ。(11) 衝動は抑えよ。指導理性《ト・ヘーゲモニコン》を自己の支配下におけ。

八　理性のない動物の間には一つの生命が分配されている。理性的動物の間には一つの叡智ある魂が分け与えられている。それはちょうどすべて土からくるものにたいして一つの地があり、我々にものを見させてくれる光が一つであり、我々のようにすべて視覚と生命を持つものの呼吸する空気が一つであるのと同様である(2)。

九　なにかを共有しているものはみな自分と類を同じゅうするものを求める。土のものはみな地へ傾き、液体はみな共に流れ、気体も同様である。それゆえに、これらのものを離ればなれにしておくには、間を遮断する障碍物をおいたり暴力を用いたりせねばならない。火は元素的な火のゆえに上へ昇って行くが、それは地上のあらゆる火とともに燃えあがり易く、すべての物質は少しでも平生より乾燥していればたやすく燃えてしまう。それは燃焼を妨げうる要素が平生より少ししか混ざっていないためである。

こういう次第であるから、宇宙的な叡智的な自然を共有する者もまた同様にみな同類の者を追い求める。しかも一層そうなのである。なぜなら他のものに優れば優るほど、ことさらに親近なものと混ざり合い溶け合いやすいからである。

したがってまず理性のない動物からいえば、彼らの間には蜜蜂の群や家畜の群や鳥の雛《ひな》の群や恋の結びつきがある。つまり彼らの中にはすでに魂があり、これら高等動物における社会的本能は、植物や石や材木には見られぬほど強力なものである。しかし理性的動物においては、政体や交友関係や家庭や集会や、戦争における条約や休戦がある。[13]さらにもっと高等なものにおいては、たとえば星におけるがごとく、離れているものの間にも一種の統一が存在する。[14]かようにより高いものへ昇って行こうとする努力は、離ればなれのものの間にも共感的なつながりをもたらしうるのである。

ところで今どんなことが起っているか見るがいい。現在はただ叡智のある動物のみ相互の親和性と牽引とを忘れ、ここにおいてのみ似たもの同士合流するという現象が見られない。しかし彼らがどんなに逃げようともまた捕えられて一緒にされてしまう。なぜなら自然は自分の意を通すからである。よく観察していればまさにその通りであることを君も発見するだろう。いずれにせよ、人間から完全に孤立した人間などというものはない。土のものでありながら、全然他の土のものに接触していないものを見つけるほうがまだしも容易であろう。

一〇　人間も神も宇宙もすべて実を結ぶ。各々固有な季節に実を結ぶ。一般の慣用ではこの言葉を厳密に葡萄《ぶどう》の樹やその他同様のものにのみ適用するが、それはどうでもよい。理性もまた公的私的の実を持つ。[15]そして理性から生ずるものは、理性自身と性質を同じゅうする他のものである。

二　もし君にできるならば、(悪いことをした人間を)改心させよ。もしできないならば、かかる場合のためにこそ寛大というものが君に与えられているのだ、ということを思い起せ(16)。神々もまたこのような人びとにたいして寛大の念をいだいている。それのみか、ある種の事柄のためには彼らに協力さえ惜しまない。たとえば健康、富、名誉等の場合である。神々はそれほど慈悲深いのだ。君にもそれはできる。さもなくば、誰がそれを妨げるのかいえ。

三　働け、みじめな者としてではなく、人に憐れまれたり感心されたりしたい者としてでもなく働け。ただ一事を志せ、社会的理性の命ずるがままにあるいは行動し、あるいは行動せぬことを。

三　今日私はあらゆる煩労から脱け出した。というよりもむしろあらゆる煩労を外へ放り出したのだ。なぜならそれは外部にはなく、内部に、私の主観の中にあったのである(17)。

一四　これらはすべての経験の上では習慣的のものであり、時間的にははかなく、素材からいえば卑しい。(18)現在あるものはことごとく我々が墓に埋めた人びとの時代と少しも変りないのである。

一五　事物は(我々の魂の)戸の外に立っていて、自分自身の中にとじこもり、自己についてはなにも知らず、なにも伝えない。では彼らについて伝えるものはなにか。指導理性である。(19)

一六　理性的市民的動物の悪と善とは、受身の状態に存するのではなく、行動の中に存する。(20)それは彼の美徳と悪徳とが受身の状態に存するのではなく、行動の中にあるのと同様である。

一七　空中に投げられた石にとっては、落ちるのが悪いことでもなければ、昇るのが善いことでもない。(21)

一八　彼らの指導理性の中まではいり込め。そうすれば君の恐れる裁判官はどんな人間どもであるか、また彼らが自分自身についていかなる裁判官であるか君にわかるだろう[22]。

一九　万物は変化しつつある。君自身も絶えざる変化の中にあり、ある意味で分解しつつある。然り、宇宙全体がそうなのである[23]。

二〇　他人の罪はその場に留めておくがよい[24]。

二一　活動の停止、衝動や主観の休止ならびにその死ともいうべきもの——以上は悪いことではない。今度は人生の各段階に目を転じて見よ、たとえば幼年時代、少年時代、成年時代、老年時代等——以上における変化はそれぞれ一つの死である。ここになにか恐ろしいものがあるだろうか。今度は君が祖父[25]のもとで送った生活に目を移して見よ。つぎには母[26]のもと、つぎに(養)父[27]のもとですごした生活。そこに多くの他の破壊や変化や停止を発見して、自ら問うてみよ、「ここになにか恐ろしいものがあるだろうか」と。否、同様に人生全体の終局と休止と変化の中にも全然無いのである。

二二　君自身の指導理性のもとへ馳せ参ぜよ、また宇宙の指導理性のもとへ、またこの人間の指導理性のもとへ。君自身の指導理性のもとへは、これを正しいものにするために。宇宙の指導理性のもとへは、君がいかなるものの分身であるかを思い出すために。この人間の指導理性のもとへは、これが無知であるか分別あるかを知るため、また同時にこれと君とは同胞であることを考えるために。

二三　君は社会組織を補ってこれを完全なものにする部分の一つであるが、それと同様に、君のすべての行為をも社会生活を補いこれを完全なものにする部分たらしめよ。君の行為にして社会的目的に多かれ少なかれ関係を持たないものは、すべて社会生活をばらばらにし、その統一を妨げ、分裂を起す。それはあたかも人民の集合において、ある一人の人間がひとり勝手に行動し、このような協和から別になっている場合に似ている。

二四　子供の喧嘩と遊び(28)、また死体を担う小さな魂(29)——これで「ネキュイア(30)」ももっとはっきり実感が出るだろう。

二五　形相因《アイティア》(31)にさかのぼれ、これをその素材から分離してながめよ。つぎにこれがその特殊な形を帯びて、長くともどのくらいの期間存続するようにできているのか決定せよ。

二六　君の指導理性がなすべく作られているところのものを果すことで満足していないために、君は数知れぬわざわいを蒙った。しかしもう沢山！(32)

二七　他人が君を非難したり、憎んだり、これに類した感情を口に出したりするときには、彼らの魂へ向かって行き、その中にはいり込み、彼らがどんな人間であるか見よ。(33)そうすれば彼らが君についてなんと思おうと気にする必要はないということが君にわかるだろう。しかし君は彼らにたいして善意を持たねばならない。なぜならば、自然は彼らを君の友として作ったのであり、神々も夢や託宣を通して彼らを助け、彼らの心にかかっているものを獲得することができるように計らってやるのである。(34)

二八　宇宙の周期的運動は上へ、下へ、と永遠から永遠にわたって同じである。(35)宇宙の精神は個々の場合に行動に出る衝動を覚えるか(36)――もしそうならば、その衝動の結果を受け入れよ――、(37)もしくは一度だけその衝動を覚え、あとはみな因果律に従って起ってくるのである。〔しかしこれはどちらでもかまわないではないか。〕なぜならば宇宙はいわば原子ででき上がっている。〔または不可分のものである。(38)〕結局、もし神が存在するならば、万事よし。もしすべてが偶然にすぎないならば、君までゆきあたりばったりに生きないようにせよ。

まもなく土は我々すべてを覆い隠してしまうであろう。つぎに土自身も変化し、さらにつぎからつぎへと無限に変化して行く。この変化と変形の波の動きとその速さとを考えてみる者は、もろもろの死すべきものを軽蔑するに至るであろう。(39)

二九　宇宙の原因は一つの奔流である。それは万物を運び去る。なんと下らぬ小人どもだろう、政治屋でありながら、哲学者のごとく振舞うとうぬぼれている奴らは。みんな鼻たらしさ。おお人間よ、どうしたのだ。自然がいま要求することをしろ。できるなら、発奮しろ。そして人に知れるかどうかきょろきょろ見回したりするな。プラトーンの理想国家を望むな、(40) どんなに小さなことでも進行すればそれで満足し、その結果は大したことでないと考えるのだ。なぜならば誰が他人の信念を変えられようか。信念を変えることなくしては、呻《うめ》きつつ服従するふりをしている奴隷どもとなんの変るところがあろうか。さあアレクサンドロス(41)やピリッポス(42)やパレーロンのデーメートリオス(43)のことを私に話してきかせてくれ。もしこの人たちが宇宙の自然の欲するところをわきまえ、身を修めたのならば、彼らを模範に仰ごう。しかしもし悲劇役者を演じた(44)にすぎないならば、私がその真似をしなければならない義理はない。哲学のわざは単純で謙虚なものである。(45)私を尊大と虚栄心へ誘うな。

三〇　高処から眺めよ。(46)無数の集会や無数の儀式を、嵐や凪《なぎ》の種々な航海を、生まれ、共に生き、消え去って行く人びとの有為転変《ういてんぺん》を。また昔他の人びとによって生きられた人生、君の後に生きられるであろう人生、現在野蛮民族のところで生きられている人生を思い見よ。どれだけの人間が君の名前を知らないことか。どれだけの人間がそれをさっさと忘れてしまうことか。どれだけの人間が現在たぶん君を讃めていながら、たちまち君を悪くいうようになるであろうことか。記憶も、名声も、その他すべていかに数うるに足らぬものであることか。

三一　外的な原因によって生ずることにたいしては動ぜぬこと。君の中から来る原因によっておこなわれることにおいては正しくあること。これはとりもなおさず公益的な行為に帰する衝動と行動である。なぜならこれが君にとって自然にかなったことなのだから。

三二　君は多くの無用な悩みの種を切りすてることができる、なぜならばこれはまったく君の主観にのみ存在するからである。全宇宙を君の精神で包容し(47)、永遠の時を思いめぐらし、あらゆる個々の物のすみやかな変化に思いをひそめ、誕生から分解に至るまでの時間のなんと短いことかを考え、誕生以前の無限と分解以後の永遠に思いを致すがよい(48)。それによって君はたちまちひろびろとしたところへ出ることができるであろう。

三三　すべて君の見ているものはまもなく消滅してしまい、その消滅するところを見ている人間自身もまもなく消滅してしまう(49)。きわめて高齢に達して死ぬ者も結局は夭折《ようせつ》した者と同じことになってしまうであろう。

三四　この人びとの指導理性はどんなものであるか(50)。彼らはいかなる目的について熱心であったか。いかなる動機から愛し、尊ぶか。彼らの魂をその赤裸々の姿においてながめる習慣を持て。君の悪口をいえば君に被害をおよぼし、君を賞めれば君を益すると彼らが思っているとしたら、なんという思いあがりであろう。

三五　喪失は変化にほかならない。これが宇宙の自然の喜びとするところなのだ。その

本の豆知識

●約物《やくもの》・記号●

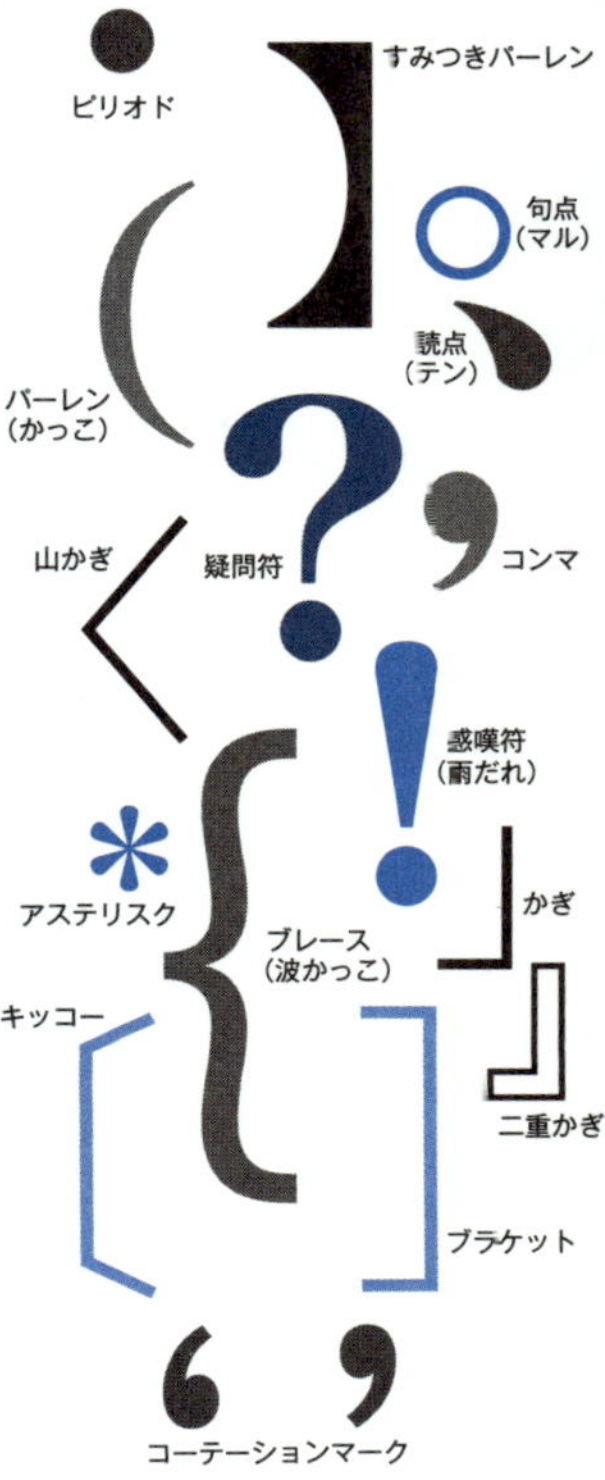

自然に従って万物は〔うまい具合に〕(51)生起し、永遠の昔から同じ形の下に生起し、永遠に至るまで他の同様な形の下に生起して行くであろう。しかるに君はなぜいうのか、すべては具合悪くできており、これからもつねに具合悪くあろうし、神々がどんなに大勢存在しようとも、これを正す力は彼らの中に結局見出されなかった。世界は絶えざる悪に悩まされるべく定められているのだ、と(52)。

三六　あらゆるものの根底によこたわる素材の腐敗——水、塵《ちり》、骨、悪臭。また大理石は地の硬結であり、金、銀は沈渣であり、衣類は毛髪にすぎない。紫貝の色は血であり、その他もすべて同様(53)。魂も同じようなもので、ある物からある物へと変って行く(54)。

三七　もう沢山だ。このみじめな生活、ぶつぶついって猿真似しているのは。どうしていらいらするのだ。なにか新しいことでもあるのか。なにが君を仰天させるのか。原因か？　それを見るがいい。素材？　それを見るがいい。これら以外にはなにもない(55)。しかし神々にたいしては今からでも、もっと単純に(56)もっと善良になれ。

この光景を百年観察しようと三年観察しようと同じことだ。

三八　もし彼が過ちを犯したとするなら、悪は彼のところにある。しかしもしかすると彼は過ちを犯さなかったのかもしれない。(57)

三九　二つの中どれか一つだ。すなわち、叡智ある一つの泉から万物が一丸となって出てくるか――この場合には全体のために起ることにたいして部分が不平を鳴らしてはいけない――、(58)それとも、原子ばかりあって、混沌と分散以外の何ものもないか、そのどちらかである。だからなにをくよくよするのだ。自分の指導理性にいえ。「お前は死んでしまった。消滅してしまった、野獣になってしまった。お前は偽善者だ、家畜の群の仲間だ、お前は草をはんでいる」と。

四〇　神々はなにもできないか、それともなにかできるか、そのいずれかだ。もしなにもできないならば、どうして君は祈るのだ。(59)もしなにかできるならば、これこれのことが起るようにしてくれとか起らないようにしてくれとか祈るよりも、これらの中の何ものをも恐れず、何ものをも欲せず、何ものについても悲しまぬようにして下さいとなぜ祈らないのか。なぜならば、もし彼らが一般に人間を助けることができるならば、このことについても助けることができるはずなのだ。しかしもしかすると君はいうかもしれない、「神々はこういうことは私自身の力でどうにでもなるようにしたんだ」[60]と。それならば、君の力でどうにでもなる事柄を自由な人間らしく利用するほうが、奴隷のように、また卑しい者のように、君の力に無い事柄を望むよりもよいではないか。それに我々の力でどうにでもなる事柄においても神々が我々に協力しないと誰が君にいったのか。ともかくそういうことを求めて祈り始めてごらん、今にわかるだろう。

ある人はこう祈る。「あの女と一緒に寝ることができますように」と。ところが君はこう祈るのだ、「あの女と一緒に寝る欲望を持たないことができますように」と。他の者は祈る。「あの人間を厄介払いできますように」と。ところが君は「厄介払いする必要を感じないことができますように」と祈るのだ。もう一人の人間は祈る。「どうか私の子供を失うことのないように」と。ところが君は「失うことを恐れずにいることができますように」と祈るのだ。要するに君の祈りにこういう傾向を与えて、どんなことになるか見ているがいい。

四一　エピクーロス曰く[61]、「私が病気だったとき、私の話は肉体の苦痛に触れることなく、面会にくる人びとにも決してそういう話をしたことはなかった。私は自然に関する学問の原理の探究を続け、特につぎの問題に重点をおいた。すなわち、いかにして精神は、肉体の中の動揺に参与しながら、しかも動ずることなく自分自身の善きものを保って行くか、ということである。」さらに彼がいうには、「そして私は医者たちに、彼らがなにかえらいことでもしでかしているかのように得意になる隙を与えず、こうして私の生活は仕合せに、楽しくすぎて行った。」

君がもし病気になったら病気のときに、また他のいかなる場合にもこの人にならうがよい。なぜならいかなる困難に出遭おうとも哲学から離れぬこと、および無知な者や自然の学問をわきまえぬ者のお喋りにつきあわないことは、あらゆる学派に共通な原則である。……(62)現在君のしていることにのみ身を入れ、またそれをやる道具にのみ注意を向けよ。

四二 他人の厚顔無恥に腹の立つとき、ただちに自ら問うてみよ、「世の中に恥知らずの人間が存在しないということがありうるだろうか」と。ありえない。それならばありえぬことを求めるな。(63)その人間は世の中に存在せざるをえない無恥な人びとの一人なのだ。悪漢やペテン師やその他あらゆる悪者についても同様な考えをすぐ思い浮べるがよい。かかるたぐいの人間が存在しないわけにいかないという事実をおぼえていれば、それによって君はそういう個々の人間にたいして、もっと寛大な気持をいだくようになるであろう。また即座につぎのことを考えてみるのも役に立つ。「この悪徳にたいするうめあわせとしていかなる徳を自然は人間に与えたか。」なぜなら自然は恩知らずの者にたいする解毒剤として、優しさを与え、他の者にたいしてはまた他の力を与えたのである。

いずれにしても、君は迷える者をさとして心得を改めさせることができる。なぜならすべて過ちを犯す者は、その目標を逸れて迷い出た人間なのだから[64]。ところで君はどんな被害を蒙ったのか。君が憤慨している連中のうち誰一人君の精神を損なうようなことをした者はないのを君は発見するであろう。君にとって悪いこと、害になることは絶対に君の精神においてのみ存在するのだ[65]。

無作法者が無作法者のすることをしたからとて、なんの悪いこと、怪しむべきことがあろうか。その人間がそのような過ちを犯すであろうことを予期しなかった君こそもっと責めを負うべきでないか考えてみるがいい。なぜならば、その男がそのような過ちを犯すであろうと考えるだけのてだてを、君の理性は君に与えてくれていたはずだ。それなのに君はそれを忘れ、彼がその過ちを犯したからとて驚き怪しんでいるのだ。

君が他人の不忠と恩知らずを責めるときに、なによりもまず自分をかえりみるがよい。なぜなら君がかかる性質の人を信頼して、彼が君にたいして忠誠を守るであろうと思ったとしても、また恩恵を施してやる場合に徹底的に施さなかったり、君の行為からただちにすべての実を収めうるような具合に施さなかったとしても、いずれの場合にも明らかに君のほうが悪いのだ。

人に善くしてやったとき、それ以上のなにを君は望むのか。君が自己の自然に従って何事かおこなったということで充分ではないのか。その報酬を求めるのか。それは眼が見るからといって報いを要求したり、足が歩くからといってこれを要求するのと少しも変りない。なぜならば、あたかもこれらのものが各々その特別の任務のために創られ、その固有の構成に従ってこれを果し、そのことによって自己の本分を全うするように、人間も親切をするように生まれついているのであるから、なにか親切なことをしたときや、その他公益のために人と協力した場合には、彼の創られた目的を果したのであり、自己の本分を全うしたのである。(66)

第一〇巻

一　おおわが魂よ、いつの日にか君は善く、単純に、一つに、裸に、君を包む肉体よりも鮮やかになるのであろうか(1)、いつの日にか愛情に満ちた優しい心ばえの味を知るようになるのであろうか。いつの日にか満ち足りて、何ものをも必要とせず何ものにもあこがれず、享楽のためにいかなる生物をも無生物をも欲せぬようになるのであろうか。楽しみを長くするための時間を欲せず、ある場所やある土地や快適な気候や気持のしっくりする人びとなどを欲せぬようになるのであろうか。すべて現在君に与えられているものを喜ぶようになるのであろうか(2)。君の現状に満足し、すべて現在あるものは神々から来るものであり、神々の善いと思うものこそ、現在においても未来においても、君にとって善いものであることを自分で納得するようになるのであろうか(3)。またかの完全なる、善なる、正義なる、麗《うるわ》しき存在、すなわち万物を産み、保ち、包容し、すべて分解するものを集め、そこから他の同様なものを創り出す者を護るために、神々がこれから与えようとするすべてのものもやはり君にとって善いものであることを納得するようになるのであろうか。いつの日にか君は、神々および人びとともに同じ社会に住むにふさわしくなり、責めもせず責められもせぬような存在になるのであろうか。

二 ただ自然にのみ支配されている者として君の(内なる)自然がなにを要求しているかを観察せよ。つぎにそれをおこなえ、動物としての君の自然がそのために損なわれる恐れのないかぎり、進んでおこなえ。つぎに観察すべきは、動物としての君の自然がなにを要求するかということで、そのために理性的動物としての君の自然が損なわれる恐れのないかぎり、これをことごとく受け入れるべきである(4)。しかるに理性的とはとりもなおさず市民的ということである。以上の原則を適用して、余計なことに気を使うな。

三 すべての出来事は、君が生まれつきこれに耐えられるように起るか、もしくは生まれつき耐えられぬように起るか、そのいずれかである(5)。ゆえに、もし君が生まれつき耐えられるようなことが起ったら、ぶつぶついうな。君の生まれついているとおりこれに耐えよ。しかしもし君が生まれつき耐えられぬようなことが起ったら、やはりぶつぶついうな。その事柄は君を消耗しつくした上で自分も消滅するであろうから(6)。もっとも自分の身のためであるとか、そうするのが義務であるとか、そういう考えかた次第で、つまり自分の意見一つで、耐え易く、我慢しやすくできるようなものもあるが、このようなものはすべて君がうまれつき耐えられるはずのものであることを忘れてはならない。

四　もし彼がつまずいたら、親切に教えてやり、見誤った点を示してやれ。それができないなら、自分を責めよ、あるいは自分さえ責めるな(7)。

五　何事が君に起ろうとも、それは永遠の昔から君に用意されていたことなのだ。そしてもろもろの原因の交錯は永遠の昔から君の存在とその出来事とを結び合せていたのだ(8)。

六　原子であろうと自然であろうと、まず前提とすべきは、私が自然に支配されている全体の一部分であるということだ。つぎに私は同胞である他の部分とある密接な関係にあるということ。以上のことをおぼえていれば、一つの部分として、全体から割りあてられることにたいして少しも腹を立てることはないであろう。全体のためになるもので部分の害になるものは一つもない(9)。また全体の中には、全体自身のためにならないものは一つもないのである。あらゆる自然はこの点共通であるが、そのうえ宇宙の自然は、いかなる外的な原因によっても自分に害になるものを産み出すべく強いられないという特徴がある。

したがって自分がかかる全体の一部分であることを記憶しているかぎり、私はあらゆる出来事にたいして満足しているであろう。また同胞である他の部分と密接な関係にあるかぎり、私はなんら非社会的な行為をなさず、かえって同胞の人びとのことを心にかけ、自分の全活動を社会公共の利益へ向かわしめ、これに反するものから遠ざけるようにするであろう。

かようにすれば人生は必然的に幸福に流れ行く(10)であろう。ここに一人の市民があって、他の市民たちにとって有益な活動を為しつつ生涯をすごし、国家から割りあてられるものはなんでも喜んで受け入れるとすれば、その人の人生は幸福なものであると君は考えるであろうが、以上の場合もこれと趣を同じゅうするのである。

七　全体の各部分は――すなわち〔本来〕(11)宇宙に含有せられているあらゆる部分は――必然的に消滅するであろう。しかしこの際消滅するというのは変化するという意味に取るべきである。もしこのことが以上の各部分にとって〔本来〕悪いことであり不可避的なことであるとするならば、各部分が絶えず変化に向かい、いろいろな方法で消滅すべくできている以上、全体はうまい具合に運行できないはずであろう。いったい自然は、自ら自己の各部分に害を与え、これをわざわいに陥りやすくし、必然的にわざわいに陥らしめるようなことを敢えて企てたろうか。それともこのようなことが起っているのを自然は見すごしているのであろうか。双方とも信じられないことである。しかしもしある人が、自然はさておき、物事は本来そんなふうにできているのだ、と説明するならば、全体の各部分は変化するようにできているといいながら、同時にそれが自然に反して起るといって驚いたり腹を立てたりするのはやはりおかしいわけだ。まして物は分解すると、その各々構成されていた要素にもどるのであるからなおさらのことである。つまり構成要素の分散であるか、もしくは固形物の土への還元、息(すなわち気体)の空気への還元であるか(12)、そのいずれかなのである。後者の場合にはその結果として、これらのものも宇宙の理性の中に吸いもどされる。その際、宇宙の理性は周期的に火に焼きつくされるか(13)、または無限の変化によって更新されるのである。

　ところで固形物や気体は最初の誕生の時から存在すると想像してはいけない。なぜならばこれはみな昨日または一昨日摂《と》った食物や吸った空気に由来するのである。ゆえに変化するのは、摂取したもので、母親が産んだものではない。たとえ君の個性によって君がそういうものと強く結びつけられていると仮定しても、私が今いったこととはなんの関係もないことだと思う。

八　善い人、慎み深い人、真実な人、思慮深い人、すなおな人、心の大きい人、等の名称を人から貰ったら、他の名前を貰わぬように注意せよ。またもしこれらの名称を失うようなことがあったら、いそいでこれに立もどるがよい。そして「思慮深い」とは君にとって各々の事柄にたいする細心の注意と集中力を意味するはずであったことを記憶せよ。また「すなおな」というのは、宇宙の自然から割りあてられるものをことごとく進んで受け入れること。「心の大きい」というのは、我々のうちの精神的な部分が肉体の硬軟こもごもの動き(14)や空しい名誉や死やその他同様のものをことごとく超越すること。君がかかる名称を自分で保ち続け、強いて他人からその名前を貰おうとじたばたしないならば、君は新しい人間になり、新しい生涯にはいるであろう。実際、未だに今までの君のままでおり、こんな生活の中で身を裂かれ、汚されているのは、あまりにも無感覚な、人生に執した人間のすることであり、瀕死の闘獣士(15)のような人間と選ぶところがない。そういう者どもは傷や凝血にまみれながら、なお翌日まで自分たちをとっておいて下さいと懇願する。そうしてそのような状態で再び同じ爪や歯の下に投げ込まれようとするのである。

であるから以上の幾つかの名称の船に乗り込め。そしてもしその中に留まることができるならば留まれ、あたかもどこか極楽島[16]にでも移り住んだ者のように。しかしもし君が難破しそうに感じ、頑張ることができなくなったならば、勇気を出してどこか優勢[17]をとりもどせるような片隅へ行くか、またはきれいさっぱり人生から去って行くがよい。その際怒りをいだかず、単純に、自由に、謙虚に去って行くことだ。少なくともこうして去って行くということだけ、君の一生を通じての〔善事[18]〕となろう。

とはいえ右の名称をおぼえているためには、神々のことを念頭におけば、大いに助けとなろう。神々が望むのはお世辞ではなく、あらゆる理性的動物が彼らに似ることなのである。また無花果《いちじく》が無花果の分を果し、犬が犬の分を果し、蜜蜂が蜜蜂の分を果し、人間が人間の分を果すことを[19]望むのである。

九　人生の諷刺喜劇、戦争[20]、恐怖、麻痺状態、奴隷状態、——こういうものが君の神聖な諸信念《ドグマ》を日に日に消し去ってしまうであろう。これらの信念は、自然の探究者として君が抱懐し、受け入れたものだ。だから君はつぎのようにしなくてはいけない。すなわちなにを見るにもおこなうにも、目前の務めを果しながら同時に思索の能力を働かせるように心がけ、各々の事柄に関する知識からくる自信を人知れず、しかしわざわざ隠しもせずに保ち続けることだ。

いったいいつ君は単純であること[21]を楽しむようになるだろうか。いつ品位を持つことを？　また個々の物に関する知識、たとえば本質においてそれがなんであるか、宇宙の中でどんな場所を占めるか、どのくらいの間存続すべく創られているか、それを構成するものはなにか、誰に属しうるものであるか、それを与えたり奪ったりすることのできる人びとは誰か、等の知識を楽しみとするようになるのはいつだろうか。

一〇　蜘蛛《くも》は蠅を捕まえて得意になる。ある人は小兎を、ある人は網で鰯《いわし》を、ある人は猪《いのしし》を、ある人は熊を、ある人はサルマティア人たち[22]を捕まえて得意になる。ところでこれらの人びとの(行動の)原理を検討してみれば、みな盗人ではないか。

一一　万物はいかにして互いに変化し合うか。これを観察する方法を自分のものにし、絶えざる注意をもってこの分野における習練を積むがよい。実にこれほど精神を偉大にするものはないのである。このような人は肉体を脱ぎ棄ててしまう。しかして間もなくあらゆるものを離れて人間の間から去って行かねばならないことを思うから、自分の行動については正義にまったく身を委ね、その他自分の身に起ってくる事柄については宇宙の自然に身を委ねる。他人が彼についてなにをいい、なにを考えるか、また彼にたいしてなにをなすか、などということは心に思い浮べさえしない。彼はつぎの二つのことで満足している。すなわち現在の行動を正しく果すこと、および現在自分に分け与えられているものを愛することである。彼はあらゆる心労や野心を棄てる。そして法律に従ってまっすぐな道を歩み通し、まっすぐに歩むことによって神に従うこと以外に何ものをも望まないのである。(23)

三　なにをなすべきか、ということを見る眼が君にあるのに、なんの当て推量する必要があろう。もし君が自分の道を見ることができるなら、わき道にそれずにいそいそとその道を歩むことができるはずだ。またもし君に自分の道が見えないなら、足を止めてもっとも優れた相談相手の忠言に従えばよいのだ。(24) またもしそれにたいして他の障碍が起ったら、熟慮しつつ正義と思われることにしっかりとつかまって現在の手段の許すかぎり前進せよ。これに成功するのはもっとも善いことである。なぜならばこれの失敗は……(25)であるから。

あらゆることにおいて理性に従う者は、悠然とかまえていながら同時に活動的であり、快活でありながら同時に落着いているものである。

二三　眠りから醒《さ》めるや否や自ら問うてみよ。「他人が正しいこと、善いことをしたら君にとって問題になるだろうか。」[26] 否、問題にならない。君は忘れたのか。他人をやたらに賞めたり貶《けな》したりする人間どもが、寝床の中でどんな振舞いをするか、食卓でどんなふうか、またなにをするか、なにを避け、なにを追い求め、なにを盗み、なにを強奪するかを。それも手や足をもってではなく、彼らの中のもっとも尊い部分――。すなわち人の意志次第で信仰、慎み、真実、法律、善きダイモーン[27]等を生み出す部分をもってである。

二四　すべてを与え、また奪い取る自然に向かって、教養ある慎み深い人間はつぎのようにいう。「あなたの欲するものを与え、あなたの欲するものを奪って下さい」と。ただし彼はそれを強がりでいうのではなく、ただ自然にたいする従順と善意からいうのである。

二五　君に残された時は短い。山奥にいるように生きよ。[28] 至るところで宇宙都市の一員のごとく生きるならば、ここにいようとかしこにいようとなんのちがいもないのだ。真に自然にかなった生活をしている人間というものを人びとに見せてやれ。観察させてやれ。もし彼らに君が我慢ならないなら、彼らをして君を殺させるがよい。彼らのように生きるよりはそのほうがましだから。

一六　善い人間のあり方如何《いかん》について論ずるのはもういい加減で切り上げて善い人間になったらどうだ。

一七　全体としての時、全体としての物質をつねに思い浮べよ。またすべて個々のものは物質の点では無花果の種のごとく、時の点では錐《きり》の一ねじのごとくであることを思え。

一八　眼前によこたわるものの一つ一つを注意深く眺め、それがすでに分解しつつ変化しつつあり、いわば腐敗と分散の状態にあること、またあらゆるものはいわば死ぬために生まれるのだということを考えよ。

一九　彼らが食べ、眠り、交合し、排泄し、その他類似のことをなすときどんなふうであるか、つぎに彼らが威張りかえっているとき、鼻たかだかとしているとき、腹を立てているとき、またはお高くとまって他人をやり込めるときどんなふうであるか。しかもつい今しがたまでどれほど多くの人間に奴隷のごとく奉仕し、どのような目的のためにかくなしたことか[29]、そしてまもなくどんな状態に陥ってしまうことであろう。

二〇　宇宙の自然が個々のものにもたらすものは個々のものにとって有益なものである。しかもこれをもたらすその時において有益なのである[30]。

二一　「地は雨を好み、荘厳なる空《アイテール》もまた好む[31]。」そして宇宙もまた起るべき事柄をなすのを好むのだ。ゆえに私は宇宙にいう、「あなたとともに私も好みます」と。同じようないいかたを我々もするではないか、「このことは好んで起る」と。

二二　ここで生きているとすれば、もうよく慣れていることだ。またよそへ行くとすれば、それは君のお望み通りだ。また死ぬとすれば、君の使命を終えたわけだ。以上のほかに何ものもない。だから勇気を出せ。

二三　つねにはっきりと認識しておくべきは、かしこの田舎も別にここと変りないということである。すべてここにあるものは、山の中や海岸や、またいずこなりと君の好きなところにあるものとどんなに似ていることか。かくて君はプラトーンの言葉に正面からぶつかるだろう。曰く「山奥で(城壁をめぐらした中に)閉じこめられ、羊の群の乳を搾《しぼ》っている。(32)」

二四　私の指導理性《ト・ヘーゲモニコン》は私にとってなんであるか。それをもって私は今なにをしているか。今なんの目的にそれを用いているか。(33)それは叡智を欠いているか。社会生活から遠ざけられ、ひき離されてはいないか。肉にまつわりつき、これとまざり、その結果これとともに動かされてはいないか。

二五　主人から逃げ去る者は脱走者である。ところが法律は我々の主人であり、法律にもとる者は脱走者である。また万物の支配者の定めたところによりあることが起ったこと、または起りつつあること、または将来起るであろうことをこころよしとせず、悲しんだり、怒ったり、怖れたりする者も同様である。その万物の支配者というのは法律であって、これが各人の身に起ることを定めるのである。したがって怖れたり、悲しんだり、怒ったりする者は脱走者である。(34)

二六　男は女の胎《はら》に種を蒔《ま》いてその場を去る。すると他の原因が仕事を引受けて胎児を完成する。なんという発端からなんという結果の生ずることであろう。さらに子供は喉《のど》を通して食物を呑み込む。すると他の原因が仕事を引受け、感覚や衝動や、一言にしていえば生命と力と、その他どれほど沢山のものを、またどれほど霊妙なものを創り出すことであろう。さて君は以上のごとき秘密裡におこなわれる事柄をながめ、その原動力を見きわめなくてはいけない。それはちょうど物を落下せしめたり上昇せしめたりする力を、我々の眼でこそ見ないが、それにも劣らずはっきりと見るのと同様の話である。

二七　現存するものはことごとく以前にも存在したということを絶えず考えよ。(35)またこれらのものは未来においても同様に存在するであろうことを考えよ。さらに君が自分の経験から知ったものや、もっと昔の歴史から知った多くの劇全体や同様な場面を眼前に浮べよ。たとえばハードリアーヌス(36)の全宮廷、アントーニーヌス(37)の全宮廷、またピリッポス(38)、アレクサンドロス(39)、クロイソス(40)の全宮廷を。なぜならこれはみな現在あるものと同じで、ただ役者だけがちがうにすぎないのである。(41)

二八　いかなる出来事にたいしても悲しんだり不服をいだいたりする人間はみな屠《ほふ》られる小豚がじたばたして叫ぶのにも似たものと考えるがよい。また寝床の上でひとり黙して我々の不幸を嘆く人間もこれに似ている。さらに思うべきは、ただ理性的動物のみ自分の意志をもって出来事に従うことが許されているが(42)、他のあらゆるものは単なる服従を強いられているということである。

二九　あらゆる行動に際して一歩ごとに立止まり、自ら問うて見よ。「死ねばこれができなくなるという理由で死が恐るべきものとなるだろうか」と(43)。

三〇　他人の過ちが気に障るときには、即座に自ら反省し、自分も同じような過ちを犯してはいないかと考えてみるがよい(44)。たとえば金を善いものと考えたり、または快楽、つまらぬ名誉、その他類似のものを善いものと考えるがごときである。このことに注意を向け、さらにつぎのことに思い至れば、君はたちまち怒りを忘れるであろう。それは「彼は強いられているのだ。どうにもしようがないではないか」という考えである。あるいはもし君にできることなら、その人間を強制するものを取り除いてやるがよい(45)。

三　サテュローン(46)を見たらソークラティコスかエウテュケースかヒュメーンを思い浮べよ。またエウプラーテースを見たらエウテュキオーンかシルウァーヌス(47)を思い浮べ、アルキプローンを見たらトロパイオポロスを、セウェールスを見たらクリトーン(48)かクセノポーン(49)を思い浮べ、自分自身をながめる時はカエサルたちの一人を思い浮べよ。またあらゆる個人につきこれにならってやるがよい。その上でこう考えてみよ。「彼らは今いずこ」と。いずこにもいない、あるいはいずこにでもいる。

以上のように考えれば、人間に関するものはすべて煙であり無であるとつねに見なすようになるであろう。殊に、ひとたび変化したものはもはや永遠にわたって存在しないのである、ということを同時に思い出せばなおさらそうであろう。それならなぜやきもきするのだ。君の短い人生をまともに送ることで満足できないのか。

なんという素材を、なんという研究題目を君はのがしてしまうのだ。人生におけるもろもろの事柄を精確に、自然を探究する態度をもってながめる理性にとっては、こういうことはみな修練の対象でなくてなんであろうか(50)。であるからこれらの真理を身につけるまで努力し続けよ。あたかも強い胃があらゆるものを同化するように。あかあかと燃える火が、なんでもその中に投げ込まれるものから焔と光とを創り出すように。

三二　君に関して、誠実でないとか、善い人間でないとか、真実にもとらずにいえる権利をなんぴとにも与えてはならない。君についてそんな考えを持つ者は、誰でも嘘つきにしてやるがいい。君の考え一つでどうにでもなることだ。実際誰が君の誠実であり、善であるのを妨げるか。[51] そういう人間にならないくらいならもう生きるのはやめる、と君が決心さえすればよいのだ。[52] なぜなら君がこのような人間にならないなら、理性もまた君に生きよとは要求しないのである。

三三　この素材についてもっとも健全におこないうること、あるいはいいうることはなにか。それがなんであろうとも、君はそれをおこなったりいったりすることができるのだ。妨げがあるという口実は口にするな。官能的な人間にとっては享楽ということがなにより大切であるが、ちょうどそのように君にとっては、提供される素材や遭遇する素材を用いて人間の構成素質にかなった行動を取ることがなによりも大切でなくてはならない。このことを自覚するまで君の嘆息は止まないであろう。なぜならば、自分自身の本性に従っておこないうることはすべて快楽と考えるべきもので、これはどこでもできることなのだ。

円筒[53]には自己の運動によって至るところへ移動する力が与えられていない。水や火や、その他すべて自然または理性の無い生命に支配されているものも同様で、その道を遮断し、妨害する物は沢山ある。ところが叡智と理性はあらゆる障碍物を通ってその天性と意志のままに前進することができる。あたかも火が上へ、石が下へ、円筒が坂の下へと移動するがごとく、理性がやすやすとあらゆるものを通って動いて行く有様を眼前に思い浮べ、それ以上何ものをも求めるな。なぜならば他の邪魔物は、この死体(54)同然の肉体にたいする障碍物であるにすぎぬか、さもなければ——我々の思いなしや理性自身が降伏した場合を除いては——我々を打砕くこともせず、いかなる害をも働かないのである(55)。もしそうでなかったのならばこの邪魔を受ける人間はたちどころに悪くなってしまうはずだ。

実際(人間と)構成を異にする他のあらゆる動物においては、そのいずれかに悪いことが起ると被害者はそのために以前よりも悪くなる。ところがこの場合においては——こういうことをいってよいならば——人間はこのような出来事を正しく生かすことによって一層優れた者になり、一層賞讃に価するようになるのである。

要するにつぎのことを記憶するがよい。都市を損なわぬものは市民と生まれた者を損ないえない。また法律を損なわぬものは都市を損ないえない。ところがいわゆる不幸のうち一つとして法律を損なうものはない。したがって法律を損なわぬものは都市をも市民をも損なわないのである。

三四　まことの信念に身を咬《か》まれている者(56)にとっては、ごく短い、陳腐な言葉でさえも、悲しみなく怖れなくあるべきことを思わせるのに充分である。たとえば

　吹ききたる風のまにまに地の上に撒き散らさるる木の葉にも
　似たるは人のやからなるかな。(57)

君の子供たちも小さな木の葉。さも信ずるに足るような様子で喝采し、賞讃する人びとも、またその反対に呪ったり、あるいはひそかに責めたり嘲ったりする人びともことごとく木の葉。また我々の死後の名声をつぎからつぎへと受けついで行く人びとも同じく木の葉。なぜならばこれはみな

　春の季節に生まれいづ。(58)

すると風がこれを吹き落とす。やがて森は他の葉をその代りにはやす。はかなさは万物

に共通である。それなのに君はまるでこういうものがみな永久に存続するものであるかのように、これを避けたり追い求めたりするのだ。まもなく君は眼を閉じるであろう。そして君を墓へ運んだ者のために、やがて他の者が挽歌を歌うことであろう。

三五　健全な眼は、なんでも見える物を見るべきであって、「私は緑色のものが見たい[59]」などというべきではない。これは眼を病む者のいうことだ。同様に健全な聴覚と嗅覚は、聴きうべき、また嗅ぎうべきあらゆるものにたいして用意がなくてはならない。また健全な胃の腑はあらゆる食物にたいして、ちょうど挽臼《ひきうす》がすべて挽くようにできている穀物にたいして用意があるのと同じようでなくてはならない。さらにまた健全な精神もあらゆる出来事にたいして用意がなくてはならない。ところが「私の子供たちが助かりますように[60]」とか「私がなにをしようとも皆の者に賞讃されますように[61]」などという精神は緑色のものを要求する眼であり、柔らかいものを要求する歯である。

三六　死んでゆくとき、自分にふりかかっている不幸を歓迎する者の一人や二人に囲まれていないような幸運な人間はない。たとえばその人が誠実な賢い人間であったとする。きっと最後の瞬間に人知れずこういう者がいるであろう。「この道学者先生がいなくなって我々もやっと息がつけるというものだ。べつに我々のうち誰にたいしてやかましかったというわけでもないが、ただこの御仁がひそかに我々を非難しているのを私はいつも感じていたのだ」と。これが誠実な人間にたいしての言い草だ。まして我々にたいしては、大勢の人が我々をお払い箱にしたいと思う理由がほかにどれほど沢山あることだろう。死にぎわに君はこのことを思うがよい。そしてつぎのように考えれば一層たやすく去って行けるだろう。「私はこの人生を去って行く。その人生においては、私の仲間でさえも、然り、私があれほど奮闘したり、祈ったり、気を使ったりしてやったその仲間たちでさえも、もしやこれでなにかほかに利益が得られはしまいかとの期待から、私のいなくなるのを望んでいるのだ」と。こんなことなら誰がこれ以上ここに滞在することに執着しようか。

しかしそれだからといって、世を去るにあたり彼らにたいする善意が薄らぐようであってはいけない。自分の平生の性質をそのまま保って友好的に、親切に、慈悲深くあれ。そして彼らの間から去って行くときには、むしり取られるといった具合ではなく、大往生をとげる人間において魂が肉体かららくらくと抜け出て行くような、そんな趣がなくてはならない。なぜならば、自然は君をこの人びとに結びつけて一緒にしたのである。その絆を今自然が解くのだ。私は近しい人びとから離れて行くがごとく、抵抗せずに、

しかし強いられもせずに離れて行く。これもまた自然にかなった行為の一つなのである。(62)

二七　他人のなすあらゆる行為に際して自らつぎのように問うてみる習慣を持て。「この人はなにをこの行為の目的としているか」と。ただし、まず君自身から始め、第一番に自分を取調べるがいい。

二八　君をあやつっている者は君の内に隠れているものであることを記憶せよ。それが言葉であり、生命であり、いわば人間そのものなのである。しかしこれを包容する器《うつわ》や、周囲に付着している器官(63)などは決してこれと一緒に考えてはいけない。なぜならこういうものは職人の斧《おの》のようなもので、ただちがうところは、それが自然に身体から生えているという点だけだ。これを動かしたり静止させたりする原因から離れては、これらの身体部分もなんの役にも立ちはしない。それはちょうど機織女にたいする杼《ひ》や、書きものをする人にたいするペンや、御者にたいする鞭の場合と少しも変りないのである。

第一一巻

一　理性的な魂の特徴。自己をながめ、自己を分析し、意のままに自己を形成し(1)、自己の結ぶ実を自ら収穫し(2)、——これに反し植物の果実や動物において果実に相当するものは他人の手で収穫される——人生の終止符がいずこにおかれようとも自己固有の目的を達成する。これとちがって舞踊や演劇やそのほか類似のものにおいては、なにか邪魔がはいればその行為全体が不完全なものになってしまう(3)。ところが理性的な魂は、あらゆる場合において、またいずこで不意打ちをくらおうとも、眼前におかれた任務を完全な欠くるところ無きものになし、したがって「私は自分のものを完全に所有している(4)」といえるのである。

その上、理性的な魂は全宇宙とその周囲にある虚空をへめぐり、その形を究め、時の無限の中に身をのばし、万物の周期的再生(5)を包容し考究し、我々の後にくる子孫といえどもなに一つ新しいものを見ないであろうこと、我々より前にいた祖先たちもなに一つ我々よりも多くのものを見たわけではないことを悟るのである。かように万物は同一であるから少しでもものわかった男なら四十歳ともなれば過去に存在したものおよび未来に存在するであろうものをことごとく見たわけなのである。(6)

さらに理性的魂の特徴には、隣人を愛すること、真実、慎み、なににも優って自己を尊ぶこと等がある。これはまた法律の特徴でもある。したがってまっすぐな理性と正義の理性とはなんの相違もないのである。

二 魅惑的な歌、舞踊、角力《パンクラティオン》(7)等というものも、ひとたびこれを分解してみれば、君はきっと大したものに思わなくなるであろう。たとえばもし君が美しい声の旋律を各音に分析し、その一つ一つについて、「こんなものにお前は心を奪われているのか」と自分に尋ねてみれば、そうだというのは気がひけるだろう。舞踊についても一つ一つの動作または姿勢にたいして同様なことをやり、また角力についてもやってみれば、以上と同じようなことがいえよう。要するに、徳と徳のもたらすものとを除いては、物事をその構成部分に解体して根底まで見きわめ、かように分解することによって、これを軽視するに至るべきことを忘れてはならない。(8)同じ方法を人生全体に応用せよ。(9)

三 たとえ今すぐにも魂が肉体から解かれ、消滅するか、分散するか、そのまま存続するか、以上三つのうちいずれかの状態に移ることになったとしても、立派に用意ができている魂とはどんな魂であろう。ただしこの準備ができているというのは、自己の内心の判断から出るべきことであって、〔キリスト教徒のごとく〕[10]単なる反抗からであってはならない。それは思慮と品位とを備うべきであり、他人をも納得させようとするならば、芝居がかったところがあってはならない[11]。

四　私はなにか社会に有益なことをおこなったか。それならば自分が利益をえたのである[12]。この真理をつねに手近なところにおき、決して（善への努力を）やめるな。

五　君の仕事はなにか。「善き人間であること。」これに成功するには一般原理から出発する以外に道があろうか。その原理とは、一方においては宇宙の自然に関するものであり、他方においては人間固有の構成素質に関するものである。

六　最初悲劇というものは、人生途上の出来事を人に思い出させるために演ぜられたものであった。またこういう出来事は自然に[13]こういうふうに起るものであることを示し、舞台の上で演ぜられることが諸君を魅了する以上、同じ事柄がもっと大きな舞台の上で起ったとしても、これを苦にしてはならない、ということを考えさせるためであった。なぜならば、舞台で見るところによれば、こういう出来事はこういうふうに起らねばならぬことであり、「ああキタイローンよ！」[14]と叫ぶ者といえどもやはりこれを耐え忍ばねばならないのである。

また悲劇作者はなかなか有益なことをいっている、たとえば特につぎのもの——

「たとえ私と私の二人の子供が神々から見棄てられたとしても、これにもまた道理があるのだ。」[15]

さらに

「物事にたいして腹を立てるべからず。」[16]

また

「人生はみのり豊かなる穂のごとく刈り入れらる。」[17]

その他同様のものがどんなに沢山あるかしれない。

悲劇の後には古代喜劇が演ぜられた。それは教育的に意義のある言論の自由を持ち、そのあけすけなもののいい方によって慢心をいましめ、その点有益でないことはなかった。大体それと同様な意味あいにおいてディオゲネース[18]もこの役目をひきついだ。その後、中期喜劇が、つぎに新喜劇が、なんの目的で取り入れられたか考えてみよ。その新喜劇も漸次器用な真似事に堕してしまった。しかしこの作者たちもまた若干有益な言葉を残している。それは一般に承認されているところだ。しかしこういう詩や劇作の企図は全体としてなにをめざしていたのであろうか。

七　哲学するには、君の現在あるがままの生活状態(19)ほど適しているものはほかにないのだ。このことがなんとはっきり思い知られることか。

八　隣の枝から切りはなされた枝は、樹全体からも切りはなされずにはいられない。それと同様に、一人の人間から離反した人間は、社会全体から落伍したのである。ところが枝は他の者がこれを切りはなすのであるが、人間のほうは、隣人を憎み嫌うことによって自分で自分をその隣人からひきはなすのだ。しかも彼はそうすると同時に共同社会の全体からも自分を削除したことを知らないのである(20)。ただしここで注意すべきはこの共同体の創設者であるゼウスの神が与え給うた賜《たまもの》であって、そのお陰で我々は再び隣の枝に結合して全体として完全なものに復することが許されているのである(21)。しかしこういう離反がたびかさなると、はなれた部分がふたたび結合して元通りになるのは難しくなる。一般にいうと、最初から樹とともに成長し、樹とともに呼吸し続けた枝(22)は、ひとたび切りはなされ、後にふたたび接木された枝とはちがう。これは庭造りたちのいうところである。だから同じ幹の上で成長せよ。ただし意見は同じゅうしなくともよい。

九　君がまっすぐな理性に従って進むのを邪魔しようとする人たちも、君を健全な行為から脱線させることはできない。それと同様に、彼らにたいする善意からも君を脱線させるな。(23)そしてつぎの二つの点に等しく注意して身を持するがよい。すなわち単に堅固な判断と行為に努めるのみならず、君の邪魔をしようと試みる人たち、またはなにかほかの方法で君にいやがらせをしようとする人たちにたいして柔和であることをも努めるべきである。なぜならば彼らにたいして腹を立てるのは、尻込みして行動を避け、恐怖のあまり降参してしまうのと同じく一つの弱さである。震えあがる臆病者、生まれながら同胞であり友人である者から離れてしまう者、この双方とも自分の持場からの脱走者であることに変りはないのである。(24)

一〇　いかなる自然も技術より劣ることはない。(25)なぜならば、諸技術は種々な自然の模倣なのである。そうだとするならば、あらゆる自然の中もっとも完全でもっとも包容的な自然が、巧みな技術にひけをとるはずはない。またあらゆる技術は高いもののために低いものをこしらえる。したがって宇宙の自然も同様にするのである。そこに正義の起源があるのであって、他の徳はみな正義から出てくるのである。なぜならば、もし我々がどうでもいいことに重きをおいたり、欺かれやすく、軽率であったり、変りやすかったりしたならば、正義は保たれないであろう。

一二　これを避けたり追求したりするのが悩みの種になるような、そういう事柄が自分のほうからは君のところへやって来ず、いわば君のほうからそういう事柄の方へ出向いて行くのならば、少なくともこれに関する君の判断は平静なものにしておかなくてはいけない。そうすればその事柄もじっとしているであろう。またこれを避けたり追求したりしている君の姿も見られなくなるであろう。

一三　魂が外にひろがらず、内にちぢこまらず、分散もしなければ、収縮もせずに、光に照らされて輝き、その光によってあらゆるものの真理と自己の内なる真理とを見るとき、その魂の姿はつねに変らぬ球形なのである(26)。

一四　ある人が私を軽蔑したらどうだ。それはその人間の知ったことだ。私の知ったことは、軽蔑に値するようなことをしたりいったりしているところを人に見つけられないように心がけること。——憎んだらどうだ。それは彼の知ったことだ[27]。しかし私としては、あらゆる人にたいして親切と善意とをいだき、その人間自身には彼の過ちを示してやる用意を持つであろう。ただしそれは叱責するような態度ではなく、私の忍耐寛容を見せびらかすようなふうでもなく、率直に、親切に、あのポーキオーン[28]のような——もし彼がそういうふうを装っていたのでなかったならば——態度でやるのである[29]。まことに人の心の内奥は以上のようでなくてはならない。そしてなにごとにたいしても怒りをいだかず、苦情をいわぬ心ばえの持主として神々の眼に映ずるようでなくてはならない[30]のである。もし君が今君の(内なる)自然にかなったことをなし、宇宙の自然にとって今、時をえたことを受け入れるならば、いかなる悪事が君に起りえようぞ。どんな方法でもよいからどうか公益の成るようにと君は熱心に求める人間ではないか。

一四　彼らは互いに相手を軽蔑していながらお追従をいい合い、互いに相手を出し抜こうとしながら腰を低くして譲り合うのである。

一五　「私は君にたいして率直に振舞うことにした。」こういう言い草をする者はなんという腐った、卑しい人間であろう。人よ、君はなにをするのか。このことは口に出していうべきではない。事実はおのずから現れるであろう。それは君の額の上に書かれているはずだ。君の声はたちまちその響きを伝え、あたかも恋される者が、自分の恋人の眼差しの中にあらゆることをたちまち読み取ってしまうように、ただちに君の眼に輝き出すのである。つまり、誠実で善い人間というものは、強い香を放つ者のごとくあるべきであって、誰でも彼のそばにいる者は、彼に近づくと同時に、否応なしにそれに気がつくようでなくてはならない。たくまれた誠実は懐刀のようなものである。狼の友情(31)ほど忌むべきものはない。何ものにもましてこれを避けよ。善き人、誠実な人、親切な人はそれらの特徴を眼の中にそなえており、それは人に気づかれずに済むものではない。

一六　もっとも高貴な人生を生きるに必要な力は魂の中にそなわっている。ただしそれはどうでもいい事柄にたいして無関心であることを条件とする。これに無関心になるには、かかる事柄の一つ一つをその構成要素に分析してながめ、同時に全体としてながめ、(32)そのうち一つとして自己に関する意見を我々に押しつけるものもなく、また我々のところへ侵入してくるものもないということを記憶すればよい。これらのものはじっとしているのであって、(33)これに関する判断を産み出し、我々の脳裡にそれを刻み込むのは我々自身なのである。しかしそれを刻み込まないことは我々の自由なのだし、また知らない間にそれが忍び込んでいた場合にはただちにこれを消し去ることも我々の自由なのである[34]。また記憶すべきはこういうことに注意しているのもわずかの間のことで、やがて人生は終りを告げるであろうということだ。そもそも物事が具合悪くできているといって不平を鳴らすことがあろうか。もしこれが自然にかなったことなら、喜んで受け入れ、これを苦にするな。しかしもしこれが自然に反したことならば、なにが君にとって君の自然にかなったことなのかを追求し、たとえそれが評判の良くないことであろうともこれに向かって努力せよ[35]。なぜならば、自己の善を追い求めることは万人に許されていることなのだから。

一七　各個のものはどこからきたのか。いかなるものから構成されているか。なにに変化するか。変化したらどんなものになるか——しかもその(変化の)ためになんの害も蒙らずに——。

一八　第一に、人びとと私との間にどういう関係があるか。我々はお互いのために生まれた[36]。また他の観点からいえば、私は羊の群を導く牡羊のごとく、あるいは牛の群の先頭に立つ牡牛のごとく、人びとの上に立つべく生まれたのだ(37)。まずつぎの原理から出発せよ。もし原子が存在しないならば、万物を支配する自然がある。もしそうならば、低いものは高いもののため、高いものは相互のため(に創られたの)である(38)。

第二に、彼らは食卓や、寝床や、その他の場所でどんな振舞いをするか、なによりもまず彼らのいだく信念にもとづいていかなる義務を定められたものと考えているか(39)、そしてこのような行為そのものをいかなる誇りをもっておこなうか。

第三に、もし彼らがこれをおこなうのが正しいならば、腹を立ててはならない。もし正しくないならば、明らかに彼らの意志に反したことであり、彼らの無知から出たことなのだ(40)。なぜならば、あらゆる魂が自己の意志に反して真理を奪い取られるように、各人にたいしてその価値に応じた振舞いをなす能力も自己の意志に反して奪い取られるのである。それだからこそ彼らは不正とか、恩知らずとか、貪欲《どんよく》とか、一言にしていえば、隣人にたいして過ちを犯す者と呼ばれるのを怒るのである。

第四に、君自身もまた多くの過ちを犯し、その点他人と変りない。またたとえ君がある種の過ちを犯すのをさし控えるとしても、そういうことをする傾向は持っているのだ(41)。よし君が臆病か、虚栄心か、なにかそうした卑しい考えのために同じような過ちを犯さなかったとしてもそうなのだ。

第五に、たとえ彼らが過ちを犯したにしても、君はそれを確認したわけではない。なぜならば、大抵のことはなにか意図があっておこなわれるものだ。そして一般にまず多くのことを知ってからでなくては、他人の行為についてしっかりしたことを断言できるものではない(42)。

第六に、ひどく腹が立ったり悲しかったりするときには、人間の一生は短いこと、まもなく我々はみな墓に横たえられることを考えるがよい。

第七に、我々を悩ますのは彼らの行動ではなく、——なぜならその行動は、彼らの指導理性《ト・ヘーゲモニコン》に属するものである——これにたいする我々の意見である(43)。それを除去せよ。そしてその行動をわざわいと考えた君の判断を捨てる決心をせよ。そうすれば君の怒りは消散するであろう。しからばいかにしてこれらの意見や判断をとりのぞくか。それには彼らの行動はなにも君にとって恥ずべきことではない、と考えることだ。なぜならば、もし恥ずべきことのみが唯一の悪なのでなかったのならば、君だって多くの過ちを犯し、強盗やいかなることもしかねない人間にならざるをえないであろう(44)。

第八に、我々が怒ったり悲しんだりする事柄そのものにくらべて、これに関する我々の怒りや悲しみのほうがどれほどよけい苦しみをもたらすことであろう。

第九に、親切というものは、それが真摯であり、嘲笑やお芝居でないときには、無敵である。なぜならば、もっとも不遜な人間といえども、君が彼にたいして終始親切であり、機会あるごとに優しく忠告を与え、彼が君にたいして悪いことをしようとするちょうどそのときに、静かにさとして彼の考えを改めさせてやるならば、君にたいしてなにができようぞ。「否、わが子よ、私たちはほかのことのために生まれたのだ。私は少しも害を蒙りはしないが、わが子よ、お前は自分で自分に害を与えているのだよ。」(45) そして上手に、一般的な観点から、これはこうであって、蜜蜂やそのほか集団生活を営むように生まれついた動物はどれもこういう振舞いをしないのだということをわからせてやるがよい。しかしこれは皮肉や叱責の調子ではなく愛情をもって、心の底に怨恨をいだかずにやらなくてはいけない。そして学校の先生のような態度ではなく、そこにいる第三者に尊敬されるためでもなく、たとえ周囲に他の人たちがいようとも、まったく彼一人にたいして話すがよい。

以上の九項目をムーサイの女神たち(46)からの贈物として受け、心に留めておくがよい。そして君の生きているうちに人間であることを始めたらどうだ。ただし人に腹を立てるのを警戒すると同様に、人にへつらうのも警戒しなくてはならない。いずれも公益に反し、害毒をもたらすからである。腹を立てたときにすぐ役に立つ思想としてつぎのことを考えるとよい。怒るのは男らしいことではない。柔和で礼節あることこそ一層人間らしく、同じく一層男らしいのである。そういう人間は力と筋力と雄々しい勇気とを備えているが、怒ったり不満をいだいたりする者はそうではない。なぜならばその態度が不動心《アパテイア》(47)に近づけば近づくほど、人は力に近づくのである。悲しみというものがひとつの弱さであると同様に怒りもまたしかり、すなわち双方とも傷を受けることであり降参することなのである。

さらにもし君が望むならば、第十番目の贈物をムーサイの指導者(48)アポローンから受けとるがよい。それは、悪人は罪を犯すものだという事実を承認しないのは狂気の沙汰だということである。なぜならばそれは不可能を望むことなのである。(49)しかし悪人どもが他人に悪いことをするのを大目に見ながら、君にたいしては悪いことをしないようにと要求するのは無茶であり暴君である。

一九　特に警戒を怠ってはならない指導理性の四つの変態がある。これを発見するや否やその一つ一つについてつぎのごとくいいながら、これを抹殺すべき(50)である。曰く「この考えは必要ではない。これは人間の交わりを破壊する。君のいおうとしていることは君自身から出た言葉ではない」と。しかるに自分自身から出たことをいわないというのは、もっとも馬鹿げた話の一つであることを考えよ。第四の変態は君が自分を責めなくてはならないもので、君の中のより神聖な部分が、より卑しい、死すべき部分である肉体とその粗野な快楽に打負かされ、これに隷属した場合である。

二〇　君を構成するもののうち、空気の部分と火の部分は、その本質上ことごとく上昇しようとするものであるが、それにもかかわらず宇宙の経綸《けいりん》に従って、この君なる構成物の中で地上にしばりつけられている。また君の中の土および水の部分はことごとく下降しようとするものであるけれども、それにもかかわらず挙上せられ、彼らにとって自然ではない立場に立っている。このような具合に元素は「全体」に隷属し、ある場所に据えおかれると解放の合図が新たに与えられるまでそこに強制的に留まっているのである。

してみれば、君の中の知的な部分のみが反抗し、自分に与えられた場所にたいして腹を立てるとはおかしいではないか。しかもその上にはなんの強制もおかれておらず、その自然に適したもののみ与えられているのである。それなのに我慢しようとせず、反対の方向へ行ってしまうのだ。というのは、不正、放埓《ほうらつ》な行為や、憤怒、悲しみ、恐怖等への動きは自然から離反した者の特徴にほかならないのである。同じくまた指導理性がある出来事にたいして腹を立てる場合には、その途端に自分の持場を捨て去るわけだ。

なぜならば指導理性は単に正義のためのみならず敬虔と神への帰依のためにも創られたからである。(51) そして後者は善隣の観念に含まれており、正義の実践よりも古くから存在するのである。

二 つねに同一の人生目的を持たぬ者は一生を通じて一人の同じ人間でありえない。しからばその目的はなんであるべきか、ということを付け加えなくては以上いったことは足りない。というのは、大衆がなんらかの意味で善しと見なすものについての世論は必ずしも一致せず、その中のあるもの、すなわち公益に関するものについてのみ一致するようであるが、我々もまた同様に公共的市民的福祉を目的とせねばならない。自己のあらゆる衝動をこれに向ける者は、彼の全行動を首尾一貫したものとなし、それによってつねに同じ人間として存在するであろう。

三 山の鼠と家の鼠、前者の恐怖と狼狽。(52)

三 ソークラテースは大衆の意見を「ラミアー(53)」と呼ぶのをつねとしていた。これは子供たちをおどかすためのお化けである。

二四　ラケダイモーン（スパルタ）人たちはものを見物するときに、外国人たちのために陰に腰掛をそなえる習慣があった。しかし彼ら自身は、どこでもかまわず行きあたりばったりに腰かけるのであった。

二五　ソークラテースはペルディッカース[54]のところへ行かないことについて、つぎのようないいわけをした。「私が極悪の死を遂げるといけませんから」、すなわち、恩を受けて、これを返すことができないような破目に陥らないように、との意である。

二六　エペソス人たち[55]の書きものには、有徳の生涯を送った古人の中の誰かを絶えず念頭に思い浮べていること、という教えが載っていた。

二七　ピュータゴラース学派の人たち[56]のすすめるには、早朝空を仰ぎ、つねに同じ法則に従い、同じ方法によって自己のつとめを果しつづける天の住人たちを思い起し、彼らの秩序と、純潔と裸なることを思い浮べよという。なぜならば星を覆うものはないのである。[57]

二八　クサンティッペーがソークラテースの外衣を持って外へ行ってしまったとき、羊の皮をまとうていたソークラテースの姿を思え。(58)そして彼がそんないでたちをしているのを友人たちが見てきまり悪がって退こうとしたとき、ソークラテースが彼らに向かっていった言葉を。

二九　書き方と読み方は、まず教わらなくては教えることができない。まして人生においてをや。(59)

三〇　「君は奴隷に生まれついたのだ、理屈をいうのは君のすることじゃないぞ。(60)」

三一　「わが心笑えり。(61)」

三二　「彼らは苛酷な言葉をもって徳を非難するであろう。(62)」

三三　「冬に無花果《いちじく》を求める者は狂人である。子供がもはや奪われてしまっているのに、これを求める者は右と選ぶところがない。(63)」

三四　エピクテートス曰く(64)「子供を愛撫しながら、君は心の中でこういうべきである。もしかすると明日お前は死んでしまうかもしれないと。」そんなことは不吉だ！「いや、少しも不吉ではない」と彼はいった。「ある自然事を意味するにすぎないのだ。さもなければ穀物の穂が刈り入れられるというのも不吉なことになってしまうではないか。」

三五　未熟な葡萄《ぶどう》、熟した葡萄、干し葡萄——すべて変化である。それは存在しなくなるためではなく、現存しないものへの変化である。(65)

三六　「自由意志を盗み取る者はない。」これはエピクテートスの言葉。(66)

三七　彼曰く、「我々は同意を与える技術を発見しなくてはならない。また我々の衝動の領域においては、衝動が(適当な)制約の下にあるように、(67)公益に役立つように、ものの価値に応じたものであるように、気をつけなくてはならない。また欲情は完全に慎み、我々の自由にならぬ事柄にたいしてはいっさいこれを避けようとせぬこと。(68)」

二六八　彼曰く「問題はどうでもいい事柄ではなく、我々が狂気なのかどうか、ということだ。(69)」

二六九　ソークラテースはこういうのをつねとしていた。(70)「どちらをあなたがたはお望みか。理性的動物の魂を持つことか、それとも理性のない動物の魂を持つことか」「理性的動物の魂」「どんな理性的動物？　健全な、それともよこしまな？」「健全な」「ではなぜそれを追い求めないのかね」「私たちはもうそれを持っていますから」「ではなぜ戦ったりいい争ったりするのだろう」。

第一二巻

一　君がまわり道しいしい到達しようと希《ねが》っていることは、これを自ら自分に拒みさえしなければ、どれでも今すぐに手に入れられるのだよ。それには全過去を打捨て、未来を摂理に委ね、ただ現在のみを敬虔と正義の方向へ向ければよいのだ。敬虔というのは、君が自己に与えられた分を愛するようになるためで、これは自然が君に定めたものであり、また君をこれに定めたのでもある。また正義というのは、君が自由に、そしてまわりくどいことはぬきに真理を語り、法律に従い、ものの価値相応の行為をなすようになるためだ。他人の邪悪や意見や言い草や、また君のまわりに蓄積している肉の感覚に縛られるな。それはその感覚を覚える部分の知ったことだ(1)。

こうしていつなりと君が去って行く時が近づいたならば、君は他のすべてに別れを告げ、ただ君の指導理性《ト・ヘーゲモニコン》と、君の内なる神的なもののみを尊び、自分がそのうちに生きていなくなることは別に恐ろしいとも思わないが、自然に従う生活をついぞ始めなかったということになりはしないかと恐れる。そういうふうであれば君は君を生んだ宇宙に値する人間となり、祖国における異邦人ではなくなり、日々起ってくる事柄にたいしてこれを予期せざることとして怪しむのをやめ、あのことこのことに依存しなくなるであろう。(2)

二 神は万人の指導理性を、その物質的な容器や皮殻や汚物を除いた赤裸々の姿で見給う。(3)なぜならば神はただその叡智のみによって、彼の中からこれらの指導理性の中へ流れ込んだものおよび彼に由来するものにのみ接触するのである。もし君もそのようにする習慣を持つならば、多くの心配事から解放されるであろう。いったい自分を包む肉体など眼中に入れない人間が衣服や住居や名誉やそういった付属物や虚飾に心を用いて時間を浪費するだろうか。

三 君は三つのものから成っている。すなわち肉体、息、叡智である。(4)このうち最初の二つは、君がその面倒を見てやらなくてはならないというかぎりにおいて君のものである。しかし真の意味ではただ第三のもののみが君の所有物である。もし君が君から、すなわち君の叡智から、他人がおこなったりいったりすることや君自身がおこなったりいったりしたことをことごとく払い除けてしまうならば、また君を未来において悩ますであろうことや、君を包む肉体およびこれと結びついている息のために君の意志とは独立に君にまつわりついている事柄や、また君の外を取り囲む渦巻にまきぞえをくっていくものなどをことごとく払いのけてしまうならば、——その結果君の知性は運命に左右されるものから解放されて純粋になり、何ものにも縛られることなく独立独行し、正義をおこない、身に起る事柄をすべて受け入れ、真理を語ることができるのだ——さよう、もし君がこの指導理性から肉情に由来する付加物や、未来および過去に属するものを追放し、エンペドクレースの

　まどかなる球形の、そのゆるぎなきまろさを悦べる[5]

ごとく自己を形成し、君の生きている時、すなわち現在の時のみを生きる修錬を積むならば、余生を平安に、善意をもって、また君の「ダイモーン[6]」との和らぎの中に過すことができるであろう。

四　人は各々自分を他の誰よりも愛していながら、自分に関する自分の意見を、他人の意見よりも重んじないのはどういうわけだろう、と私はしばしば怪しんだ。いずれに

せよ、もしある神、もしくは賢い教師がある人のもとへやって来て、同時に口に出していうのでなければなにも心に思ったり考えたりしてはならない、(7)と命令したら、一日たりとも我慢できないであろう。かように我々は隣人たちの我々に関する意見を、我々自身の考えよりも尊重するのである。

五　知恵と人間への愛情をもって万事を定め給うた神々が、いかにしてつぎの一事を見すごしえたであろうか。(8)それは人間の中のある者、それも特に善い人たちで、いわば神と多くの契約を結び、その敬虔な業《わざ》と帰依によって神ときわめて親密な間柄になった人たちが、ひとたび死ぬと、もはや再び存在することはなく、まったく消滅してしまうということである。しかし事実がこのとおりならば、君は安んじて信ずるがよい、もしほかのようになるべきであったのなら、神々はきっとそうし給うたであろうと。なぜなら、もしそれが正しいことであったならば、また可能なことでもあったろう。そしてもし自然にかなったことであったのならば、自然はそれを成し遂げたであろう。したがって確かにそうでないならば、そうでないという事実そのものによって、これがそうあるべきでなかったのだ、と確信してしかるべきである。それに見よ、君自身この問題を検討することによって、神にたいして申立てをしているではないか。ところがもし神々がこの上もなく善であり正でなかったならば、我々はかように神々を相手に議論などできるはずはなかったのである。もしそうならば、神々は宇宙の経綸《けいりん》の中の何ものをも不正に、また不合理に、等閑に付し給うたはずはないのである。

六　すべて君が苦手だと思うものにも慣れよ。なぜならば左手は習慣の無いために他のあらゆる仕事には不器用なのに、手綱は右の手よりもしっかりと持つ。それはこれに慣れているからだ。

七　死に襲われるとき、肉体と魂においてどんな状態にあるべきか。人生の短さ、うしろと前に口を開けている時の深淵、(9) あらゆる物質のもろさ。

八　皮殻を除いた裸のままの姿でもろもろの形相因《アイティオーデス》をながめよ。またもろもろの行動の目的を。苦痛とはなにか。快楽とは。死とは。名誉とは。人の内心の不安の責任は誰にあるか。なんぴとも他人に束縛されえないこと。すべては主観にすぎぬこと。

九　我々の信念の実行にあたっては剣憂士《グラディアートル》ではなく、力士《パンクラティアステース》のごとくあるべきである。(10)なぜならば前者は、その用うる剣を落とせば殺されてしまう。(11)ところが後者にはいつでも自分の手があって、これを握り締めさえすればよいのだ。(12)

一〇　事物はそれ自体いかなるものであるか、その素材、原因、目的に分析してみるべきである。(13)

一一　神が賞め給うであろうことのみおこない、神の与え給うものをことごとく受け入れる――なんという素晴らしい能力を人間は持っていることであろう。(14)

一二　自然に従って起る事柄については、神々を責めてはならない。なぜならば神々は意識的にも無意識的にも過ちを犯すことはないからである。また人間をも責めてはならない。なぜならば人間は無意識的にでなければ過ちを犯さないからである。(15)したがってなんぴとをも責むべきではない。

一三　なんなりと人生に起ってくる事柄に驚き怪しむ者はなんとおかしな、妙な人間であろう。(16)

一四　宿命的必然か、動かすべからざる秩序か、慈悲深き摂理か、または目的もなく指導者もない渾沌か。[17] もし動かすべからざる必然ならば、なぜ君は反抗するのか。もし慈悲深くありうる摂理ならば、自分を神の助けに値する者とせよ。しかしもし指導者もない渾沌ならば、かかる大波の中で君自身はともかく自分の内に指導理性として叡智を持っているということを喜ぶがよい。そしてもし大波が君をさらって行くならば、君の肉体、息、その他をさらって行かせるがよい。なぜなら君の叡智は決してさらって行かないから。

一五　ランプの光は、それが消えるまでは輝き、その明るさを失わない。それなのに君の内なる真理と正義と節制とは、君よりも先に消えてなくなってしまうのであろうか。

一六　ある人が過ちを犯した、と考えられる理由を別の人が君に提供した場合、「しかしそれが過ちであるかどうか、いったい私は知っているか」と自問してみるがよい。[18] もし彼が過ちを犯したならば、彼は自分で自分を責めたであろう、と考えよ。そうすればその人は、自分で自分の顔を傷つけたようなものである。

悪人が悪いことをするのを承認しない者は、無花果《いちじく》の樹がその実に酸っぱい汁を賦与することや、赤ん坊が泣きわめくことや、馬がいななくことや、その他すべての必然的な事柄を承認せぬ者に似ている。[19] こういう心の持ち方をしている以上こうなるほか仕方がないではないか。だからもしいらいらするなら、この態度を直せ。

一七　適当でないことならば、せずにおけ。真理でないことならば、いわずにおけ。その決断はあくまでも君の一存にあるべきだ。

一八　つねにものの全体を見きわめること。君の脳裡に或る表象を形成するものは、それ自体なんであるか。またこれを原因、素材、目的、それが存在をやめることになるまでの寿命に分析して(自分に)説明すること。

一九　もういい[20]加減で自覚するがいい、君の中には、情欲をかもし出して君を木偶《でく》のごとくあやつるものよりももっと優れた、もっと神的なものがあるということを。私の心には今なにがあるか。恐怖ではないか。疑惑？　欲望？　その他類似のもの？

二〇　第一に、何事もでたらめに、目的なしにやってはならない。第二に、公益以外の何ものをも行動の目的としてはならない(21)。

二一　遠からず君は何者でもなくなり、いずこにもいなくなることを考えよ。また君の現在見る人びとも、現在生きている人びとも同様である。すべては生来変化し、変形し、消滅すべくできている。それは他のものがつぎつぎに生まれ来るためである(22)。

二二　すべては主観にすぎないことを思え。その主観は君の力でどうにでもなるのだ(23)。したがって君の意のままに主観を除去するがよい。するとあたかも岬をまわった船のごとく眼前にあらわれるのは、見よ、凪《なぎ》と、まったき静けさと、波もなき入江。

二三　いかなる形の活動も、その寿命に従って停止する場合には、停止したということによってなんの害も蒙らない(24)。またこの活動の行為者もこの活動の停止ということによってなんの損害も蒙らない。同様に、我々のあらゆる行為の総計であるこの人生は、それがしかるべき時期に終るならば、終ったということによってなんの害も蒙らない。またこの行動の連鎖を、しかるべき時期に停止せしめた者も損害を受けない。この時期、この期限は自然が定める。それは時にはある個人の(内なる)自然である。たとえば老齢の場合のように。しかし一般には宇宙の自然であって、その自然の各部分が変化することによって全宇宙はつねに若く壮《さか》んに保たれるのである。(25) しかるに全体にとって有益なことはつねに美しく、またつねに時にかなっている。ゆえに人生の終末も各個人にとって悪いことでないばかりでなく――なぜならばそれは我々の自由意志の範囲外にあり、また公益にとって害のないものである以上、その人間にとって恥ずべきことではない――さらに善いことなのである。なぜならばそれは全体にとって時宜をえたものであり、有益なものであり、全体と動きをともにするものである。かように神と同じ道に従って身を運び、自己の判断により神と同じ目的に向かって身を運び行く者は、実に神に運ばれる者にほかならないのである。

二四 つぎの三つの指針をいつでも念頭に思い浮べられるように用意しておけ。第一に、君の行為に関しては、でたらめにやらないこと。また正義が自らなしたであろうようなやり方で行動すること。

また外側から起ってくる事柄に関しては、それが偶然によるか、または摂理によるかのいずれかであることを考え、偶然を責めることも、摂理に罪を帰することもしてはならない。

第二に、人間は各々受胎の時から生命ある魂を受ける時まで(26)、またこれを受けてからその魂を返納する時までの間いかなる状態にあるか。また人間はいかなる要素から構成されており、いかなるものに分解するかを考えること。

第三に、もし突然空中に挙げられ、人間に関する事柄とその多種多様な形態を見おろしたとするならば、それと同時に君は空中やエーテル層の住人がどんなに大勢いるか(27)を見て、人類のことにたいする軽蔑の念を禁じえないであろう。また幾度空中に挙げられようとも、君はその都度同じものを、同じ形を、同じはかなさを見るであろう。こういうものが誇りの種になるのか!

二五　主観を外へ放り出せ(28)。そうすれば君は助かる。誰が放り出すのを妨げるのだ。

二六　君があることに不満をいだくときには、つぎのことを忘れているのだ。すなわちすべては宇宙の自然に従って起ること、また犯された過ちは他人のことであること。その上、すべて起ってくることはいつでもそのように起ったのだし、将来も起るであろうし、現在も至るところで起っているのであること。また人間を人類に結びつける絆はいかに強いものであるかということ。なぜならば、それは血や種の絆ではなく、叡智をともにすることによるからである[29]。各個人の叡智は神であり、神から流れ出たものであることを君は忘れている。またどんなものでも人間の個人的な所有物ではなく、人の子供、肉体、また魂さえも、神からきたものであること。すべては主観にすぎぬこと。各人の生きるのは現在であり、失うのも現在のみであること[30]。以上を忘れているのだ。

二七　物事にひどく腹を立てた人たちや、この上もない名誉や不幸や敵意やその他なにか数奇な運命のゆえにきわだっていた人たちのことを絶えず思い浮べよ。その上で「こういうことはみんな今いずこに行ってしまったか」と考えてみるがよい。煙[31]、灰、語り草、あるいは語り草すら残っていないのだ。またこれとともに類似の場合をことごとく念頭に浮べて見よ。たとえば田舎におけるファビウス・カトゥッリーヌス[32]、自分の庭園におけるルシウス・ルプス[33]、バイアエにおけるステルティニウス[34]、カプレアエにおけるティベリウス[35]、ウェーリウス・ルーフス[36]——要するに自負心をもってなんにせよ、ある物に熱中した例である。彼らがそんなにまで欲しがって努力した対象のいかにつまらぬものであったことか。それよりも自分に与えられた素材の範囲内において正しく生き、節制を守り、神々にすなおに従う者として身を持するほうが、哲学者としてどれほどふさわしいことか。まったく、自分にうぬぼれのないことを自負して、それでうぬぼれている人間は、誰よりも一番我慢のならないものである。(37)

二八　「君がそんなに神々を敬うのは、どこかで彼らを見たからなのか。それともなにかの方法で彼らの存在を確かめでもしたのか」と尋ねる人びとに。第一に、彼らはこの眼にも見える。(38)第二に、私は自分の魂を見たことはないが、それでもこれを尊ぶ。神々についても同様、私は彼らの力をことごとにはっきりと認め、そのことから彼らの存在を確信し、彼らを畏れるのである。

二九　人生における救いとは、一つ一つのものを徹底的に見きわめ、それ自体なんであるか、その素材はなにか、その原因はなにか、を検討するにある。心の底から正しいことをなし、真実を語るにある。残るは一つの善事を他の善事につぎつぎとつないで行き、その間にいささかの間隙もないようにして人生を楽しむ以外になにがあろうか。(39)

三〇　太陽の光は一つである。たとえそれが壁や山や、その他数知れぬものに分割されようとも。普遍的な物質は一つである。たとえそれがどれほど沢山の個体に分けられていようとも。生命のいぶきは一つである、たとえそれが数知れぬものの自然に分かれ、各個体固有の制約の下に分かれようとも。叡智ある魂は一つである。たとえそれが分かれているように見えても。(40) 以上いったものの中で(精神以外)の部分、たとえば息や物質のごときものは、感覚もなく、相互間の絆もないが、それでもなお知力および同じ中心に向かって牽引する重力によって結合されている。ところが精神は独特で、同類のものへ向かい、これと結びつく。そして社会連帯の感情はとだえることがないのである。(41)

三 君が求めるのはなんだ。生き続けることか。しかしそれは感じるためか。衝動に動かされるためか。成長するためか。つぎに停止するためか。言葉を用いるためか。考えるためか。以上の中でなにが望むに足るものと思われるか。もしなにからなにまで取るに足らないものであるならば、とどのつまりは理性と神への服従に向かうがよい。ただし以上のものを大切に思い、これが死によって我々から奪い取られた場合に悲しむならば、それはこのことと矛盾する。

三 無限の時という測り知れぬ深淵のなんと小さな部分が各人に割りあてられていることよ。(42) それは一瞬にして永遠の中に消え失せてしまう。また普遍的物質のなんと小さな部分、普遍的生命のなんと小さな部分（が割りあてられていることよ。）また全地のなんと小さな土塊《つちくれ》の上を君は這っていることであろう。(43) 以上のことをことごとく思いめぐらしつつ君の内なる自然の導くままに行動し、宇宙の自然の与えることを忍ぶ以外には何事にも重きをおくな。

三三　君の指導理性はいかに自分を用いているか。この一事に万事がある。そのほかのことは君の自由意志の下にあろうとなかろうと、死と煙にすぎない。(44)

三四　死にたいする軽蔑の心を誘うのにもっとも有効なのは、快楽を善と見なし苦痛を悪と見なした人びとといえども、やはり死を軽蔑したという事実である。(45)

三五　時にかなって来るもの(46)だけを善いものと見なし、自分がまっすぐな理性に従っておこなう行為が多かろうと少なかろうと同じことだと考え、また世界をながめている時間が長かろうと短かろうとどちらでもかまわないと思う人、こういう人にとっては死も恐るべきものではない。

兲　人よ、君はこの大なる都市の一市民であった。それが五年間であろうと（百年間であろうと）[47]君になんのちがいがあろう。なぜならば、ここの法律では、万人に平等な取扱いが与えられるのだ。暴君でもなく、不正な裁判官でもなく、君をこの中へ連れてきた自然の手で、君がこの都市から追放されるとしても、なんの恐るべきことがあろう。それはあたかも役者を雇った将軍が[48]、彼を舞台から解雇する場合に似ている。「しかし私は五幕を演じませんでした。たった三幕だけです。」よろしい。だが人生においては、三幕でも一つの完全な劇になるのだ[49]。なぜならば、終末を定める者はほかでもない、かつては君を構成し、現在は君を解体するの責任を負うた者なのである。君はそのいずれにたいしても責任はない。だから満足して去って行くがよい。君を解雇する者も満足していられるのだ。

注

第一巻

(1) マルクス・アンニウス・ウェールス。九七、一二一、一二六年の執政官。マルクスの父方の祖父で、ウェスパシアーヌスとティトゥスに叙されて貴族となり、ネルウァ、トラヤーヌス、ハードリアーヌスと歴代皇帝の側近を務めた。マルクスの父の死後にマルクスを引き取った。

(2) 「からは」を受ける動詞が原文には欠如しているので、「を教えられた」、「を学んだ」、「の模範を示された」、「を負う」等、以下各章についても読者においてそれぞれ適当な言葉を補って解釈すべきであろう。

(3) マルクス・アンニウス・ウェールス。法務官在任中(おそらく一二四年)に夭逝した。

(4) ドミティア・ルーキッラ(一五五/一六一没)。一世紀の高名な弁論家グナエウス・ドミティウス・アーフェル(三九年の執政官。弁論家で、修辞学者クインティリアーヌスの師)の血を引く裕福な貴族で教養人。

(5) 母方の曾祖父ルーキウス・カティリウス・セウェールス。一一〇、一二〇年の執政官。注(1)のアンニウス・ウェールスを継いで市総督を務めた。

(6) 名家の子弟は風儀のよくない学校に通わず、家庭教師に付いた。

(7) 未詳。

(8) 当時熱烈に愛好された円形競走場での戦車競争のチームの名称。騎手のユニフォームの色に由来する。

(9) 前者は円形の小型の楯(parma)を、後者は長楕円形の大楯(scutum)を用いる。前注と同じくチームの名称。

(10) 『皇帝群像』「マルクス・アントーニーヌス」四・九の記述によると、マルクスはこの名前の人物に絵を習っている。

(11) 写本の読み。スーダの辞典の記述から ortygokokein「鶉を叩く」が採られることが多い。闘鶏の一種であるが、詳細は不明。

(12) またはバッキオス。パポス出身のプラトーン派哲学者。

(13) 本個所以外に言及がないが、教会史家のエウセビオスがマルクスの師として言及するパレスティナのスキュートポリス出身の哲学者(おそらくストア派)バシレイデースの誤記が想定されている。

(14) 未詳。マルクスの法学の師にルーキウス・ウォルシウス・マエキアーヌスという人物がいるので、その誤記かもしれないが、本個所は哲学者の列挙なので、この人物はそぐわないであろう。

(15) この名で呼ばれるセネカの倫理的主題のエッセイと同種の作品であろう。

(16) クイントゥス・ユーニウス・ルスティクス。一三三、一六二年の執政官。ストア哲学を奉じるローマ貴族の家柄(その祖父のストア主義者アルレーヌス・ルスティクスは、六六年にストア主義者の元老院議員トラセア・パエトゥスに対してなされた告発を妨げようと試み、後の九三年には彼自身がドミティアーヌスの独裁の犠牲になった)。市総督在任中の一六五年にキリスト教教父の殉教者ユースティーノスを裁いたことでも知られる。マルクスを修辞学からストア哲学へ導いた人物で、終生深い関係で繋がれていた。

(17) 原文 stolion か stolē かで解釈が異なる。神谷の読みは後者で、ローマ市民の平時の正装。訪問者を迎える時に、彼が皇太子としての正装ではなく、普通の服を着ていた話が伝わっている（ディオーン・カッシオス『ローマ史』七二・三五・四）。別の解釈では、哲学にそまったマルクスが哲学者のマントを着るのを、哲学とは外面でないと諭《さと》してやめさせたことと理解する。

(18) アッピア街道上の保養地。ラティウム南方に位置し、カンパーニアに接する。

(19) 小アジアのヒエラポリス出身の哲学者。一世紀中頃に生まれ、一三五年頃にプリュギアのニーコポリスで没した。ネロー帝に仕えた解放奴隷エパプロディートスの奴隷だったが、解放されて哲学を教えた。彼自身は書物を著さなかったが、彼の講義を学んだニーコメディア出身のアッリアーノスによる講義ノート（『語録』）が伝わる（一部は散逸した）。本個所でマルクスが言及している著作がこの現存する『語録』かどうかは不明であるが、マルクスは彼に最も深い影響を受けている。

(20) カルケドーン（またはカルケドーニアまたはニーコメディア）出身のストア派哲学者。他文献によると傲岸な性格だったらしい。

(21) カイローネイア出身のストア派哲学者。著名な文人でプラトーン派哲学者のプルータルコスの甥。

(22) プリュギアのコテュアエイオン出身の文献学者で、ホメーロスとヘーシオドスの注釈を著した。一三五年頃、アントーニーヌスに呼ばれて若きマルクスのギリシア語教師になった。弟子には高名な弁論家アイリオス・アリステイデースがいる。

(23) マルクス・コルネーリウス・フロントー（一〇〇頃—一六七以後）、北アフリカのキルタ出身の修辞学者。一四三年の補欠執政官。若きマルクス(およびウェールスほか)と師とのあいだの往復書簡が一九世紀初期に発見され、二人の親密な交友をかいま見ることができる。マルクスが哲学に深く傾倒したのに対して、フロントーは哲学を好まなかった。

(24) フロントーは、ウェールスに宛てたある手紙の中で、この愛情がローマ人の徳ではないために、この概念を表すラテン語も存在しないと思うと述べている。

(25) キリキアのセレウケイア出身のソフィスト。ファウォリーヌスの弟子で、「粘土のプラトーン《ペーロプラトーン》」の渾名があった。一七四年にパンノニア遠征中のマルクスに呼ばれてギリシア語文書担当秘書官に就任した。

(26) ストア倫理学の用語。義務倫理学の概念との混同を避けるため「ふさわしい行為」とも訳される。特定の人間が置かれた具体的状況やその社会的役割に適う行為の外的側面で、自然的社会的関係からおのずと定まる人間の務めを意味する。何をなすかを選択すること、あるいは「どのように」なすかは思慮の徳(意志)の働きであるが、人間として社会に生きる以上、「何を」すべきかは多くが(例えば、父、夫、市民など人間の「役割(prosōpon, persona)」として)一応は定まっている。「緊急の用事」とは、典型例は生より死を選択する行為だが、一般的に通常の関係を逆転させる場合(家族の務めより仕事や友人への奉仕を優先することなど)も含まれる。

(27) キンナ・カトゥルス、ストア派哲学者。

(28) ここ以外に言及がないが、一つの推測として、母方の祖先の高名な修辞学者ドミティウス・アーフェルを指し、その彼が次のアテーノドトスの師で、後者が師の思い出を語ったことに関わるのかもしれない。

(29) ストア派哲学者(エピクテートスの師でもあったローマ騎士のムーソーニウス・ルーフスに学んだ)、弁論家で、フロントーの師だった人物。
(30) グナエウス・クラウディウス・セウェールス・アラビアーヌス。ペリパトス派哲学者。彼の息子はマルクスの娘と結婚している。本文の「私の兄弟」は、「セウェールス」を「ウェールス」と誤読した上で、後者に対する行間注が竄入《ざんにゅう》したものと考えられている。
(31) プブリウス・クローディウス・トラセア・パエトゥス。五六年の執政官。一世紀中期に元首独裁に反対したストア哲学の信奉者の一人。ネローに対して批判的態度を貫き、六六年に告発され死を命じられた。小カトーの伝記を著した彼の最期にはキュニコス派のデーメートリオス(晩年のセネカの友人)が同席している。
(32) ガーイウス・ヘルウィディウス・プリスクス。七〇年の法務官。トラセアの女婿。義父が告発された時、ローマ政界を退くが、ガルバの治世に戻る。元首独裁に対する批判的姿勢からウェスパシアーヌス帝に敵対し、追放後処刑された。
(33) マルクス・ポルキウス・カトー・ウティケンシス(小カトー)。前五六年の法務官。前六〇年代末以降、閥族派を率いて覇権主義者(カエサル、ポンペイウス、クラッススからなる、いわゆる第一回三頭政治)、とくにカエサルに対抗し、共和政派軍のタプソスでの敗北の後、カエサルの宥恕《ゆうじょ》を拒絶してウティカで自決。ストア哲学を奉じた彼は、ローマの反独裁、共和政と自由の象徴となった。
(34) ディオーン(シュラークーサイの)(前三五四没)。プラトーンの高弟で、シュラークーサイに師の政治理念を実現すべく努めた。僭主のディオニューシオス二世と対立、反乱を主導して短期間支配したが、陰謀の犠牲となった。

(35) マルクス・ユーニウス・ブルートゥス(前四二没)。小カトーの女婿。生家の伝統と信念に従い第一回三頭政に対抗、四九年パルサーロスでの敗北後カエサルに許され重用されたが、四四年カッシウスとともにカエサルを暗殺。その後共和政派を主導したが、四二年アントーニウスとオクターウィアーヌスに敗れて自決した。キケローの年少の友人で、ストア派寄りのアカデーメイア派哲学者アスカローンのアンティオコスに学んだ。以上、挙げられた人名はすべて君主独裁に反対し、哲学を尊重した人々である。

(36) 王(君主)政のこと。

(37) クラウディウス・マクシムス。後一四一/二年の執政官。ストア主義者でマルクスの師。優れた経歴を重ねた。アフリカ総督在任中、プラトーン派哲学者で弁論家のアープレイウスが魔術の廉で訴えられた裁判を主催している。

(38) 原文は大きく破損しており、種々の提案がされている。例えば、「また品良く冗談を言うこと」、また「主張のさいに気品を保つこと」。

(39) ティトゥス・アウレーリウス・フルウィウス・ボイオニウス・アントーニーヌス・ピウス(八六―一六一)。第一五代ローマ皇帝(在位一三八―一六一)。要職を重ねたのち一三八年にハードリアーヌス帝の養子となり帝位を継承、先帝の治績と記念に尽くして「ピウス(孝行者)」の添え名を得た。本章は彼の人格に捧げられた美しい称賛の辞である。マルクスはこの父と二十二年間共に暮らした。

(40) アウレーリウス街道上の宿場町。

(41) ラティウムにあるアッピア街道上の町。

(42) 〔 〕内は原文に不備がある。別の読みでは「長衣 stolē」を「柱廊 stoa」と直して、「下の別荘から高所へ通じるローリウムの柱廊と、ラーヌウィウムにあるものの大部分」と続ける。

(43) プラトーン『饗宴』二一九E―二二〇A以下、クセノポーン『ソークラテースの思い出』一・三・一四―一五参照。

(44) 「最後の病における彼は」は、トラノワの修正によるもので、多くの校訂本と翻訳は写本の「マクシムスの病の場合」を読んでいる。マクシムスについては注(37)参照。

(45) 父方は注(1)のマルクス・アンニウス・ウェールス、母方はプブリウス・カルウィシウス・トゥッルス・ルーソー(一〇九年および不明年の執政官)。

(46) 妹のアンニア・コルニフィキア。一二三年頃に生まれ、ガーイウス・ウンミディウス・クワドラートゥス・アンニアーヌス・ウェールス(一四六年の執政官)に嫁いだ。一五二年没。

(47) ルーキウス・ウェールス(一三〇―一六九)。ローマ皇帝(マルクスと共同で)(在位一六一―一六九)。元の名をルーキウス・アエリウス・アウレーリウス・コンモドゥスといい、ハードリアーヌスは自身がアントーニーヌスを養子入れした時、アントーニーヌスに彼を養子入れさせ、彼の名前はルーキウス・ウェールスとなった。アントーニーヌスのもとでマルクスと共に学び修業したが、マルクスと異なり、生の悦楽を享受し、剣闘士競技や運動競技を愛好した。一六一年にマルクスの要請で共同皇帝となる。東方国境での脅威に対処したのち北方へ向かうが、一六九年に卒中で没した。マルクスの評言の前半は、他山の石ということであろう。

(48) マルクスと妻ファウスティーナのあいだには一三人または一四人の子供が生まれた(うち双子が二組)。七人は幼時に死亡、両親よりながらえたのは一男(後の皇帝コンモドゥス)四女であった。

(49) 一巻注(20)、(16)、(37)参照。

(50) 前者は女性、後者は男性だが未詳。宮廷に仕える奴隷か。
(51) ドミティア・ルーキッラ。注(4)参照。
(52) アンニア・ガレリア・ファウスティーナ(一三〇―一四五/六)。アントーニーヌス・ピウスの娘。最初ハードリアーヌス治世にルーキウス・ウェールスと縁組したが、アントーニーヌスの下でマルクスに変更されて一四五年に結婚し、一四人の子を産んだ。マルクスの遠征にしばしば随行し、「陣営の母」の称号を史上初めて得ている。東方遠征の途中、小アジアの小村で四五歳で没した。マルクスは彼女の死を深く悲しみ、村をファウスティーノポリスと改名した。彼女の不貞にまつわる信憑性に乏しいゴシップが多数伝わっている。
(53) 九巻二七章参照。当時、医神アスクレーピオスの信仰が広まり、神殿の側で寝て見る夢を通じての治療の啓示が流行した。例えば、当時の著名な弁論家アイリオス・アリステイデースの『聖なる言葉』は、そうした夢を克明に記したものである。
(54) カンパーニアの保養地で、古来貴族の別荘で知られるが、皇帝家もよく滞在した。
(55) 〔 〕内はテクスト不確か。
(56) 七巻六七章、八巻一章参照。ストア派は哲学を論理学・自然学・倫理学の三部門に分ける。元来論理学はストア派にとって最も重要であり、帝政期でも学習に組み込まれ、この学派を特徴づけていた。ローマ期ストア派の現存著作に批判的評言が目に付くのも、その反映である。またセネカは、生涯にわたり自然学に対する関心を抱き、晩年に『自然研究』を著している。
(57) ドナウ川の支流。チェコスロヴァキアを流れ、ブダペスト北西でドナウ川に合流する。
(58) ゲルマーニア人の一派で、マルクスは平定のため数度にわたり遠征した。彼の率いるローマ軍団が奇跡的な雷雨のおかげで助かり勝利を得た年だとすると一七二年。

(59) この詞書(最後に「第一巻」が付く)は、第二巻に属すると見なすほうが大勢である。

第二巻

(1) ストア倫理学の原則を表す定式。ここで言われる「美しい(立派・高潔である)」と「醜い(恥ずべき・卑劣である)」とは、精神の卓越したあり方(徳)とその反対のあり方(悪徳)のみを意味する。これは自己の中にあるもので、己の力で左右できる。これに対して、世間一般で善または悪と言われるもの(健康、美貌、財産等とその反対)は、外在的であり、自己によって左右できない。

(2) ストア哲学の専門用語。「統轄的(主導的)部分」などとも訳される。理性や知性ともほぼ同義で、肉体と対比される意味での魂、心とも重なるが、行為と選択の主体という倫理的な文脈で用いられるのが普通である。

(3) 二巻三章、八巻八章参照。

(4) これを書いている時を一七二年とすると、マルクスは五一歳である。

(5) ストア倫理学の専門用語。動物と人間の行動を惹起させる魂の運動のことで、人間の場合は理性の同意が先行する。行動・行為には必ずこの衝動が伴う。しかしながら、一般語の「衝動」、理性を欠いた動物的本能という意味と重なる場合も多い。

(6) 感覚または思考によって心の中に得られる像。「表象」と訳されることが多い。人間行為に関わる場合では、理性的表象として命題化され、それに理性が同意すると衝動が惹起されて身体の運動と外的な行為が生じる。本書では、より広い意味での思想や想像を意味することも多い。本個所で語られる人間の行為の目的については、二巻一六章、一一巻二一章を参照。

(7) 前三七一頃—二八六年頃。レスボスのエレッソス出身の哲学者で、アリストテレースの高弟。師を継いでペリパトス派を主導した。この個所は彼の著作の一部と見なされている(断片四四一(フォーテンボー))。

(8) ストア派の摂理説対エピクーロス派の偶然説の対比。マルクスの心を強く捉えていた問いで、幾度も提示される。六巻一〇章など参照。

(9) これらは外的で、それゆえ真の意味では善でも悪でもない「無差別的なもの」である。「中間的なもの」とも呼ばれる。

(10) ピンダロス断片二九二(スネル-メーラー)。少し異なるが、既にプラトーン『テアイテートス』一七三Eに引かれている。

(11) 神的存在を指す一般的な語だが、哲学では理性、人間の内なる神的部分を表す。

(12) 三巻一〇章参照。

(13) 〔 〕内は、他の読みに従えば、「ゆえに過去はわれわれのものではない」となる。

(14) ストア自然学の原則では、宇宙は理性という、いわば最善の設計図に従いつつ自己生成し秩序付けられ、やがてすべてが火に化し、その後再び同じ過程を繰り返す。ただし、本個所は、世界のあり方に関する一般的な所感かもしれない。

(15) 前三世紀のシュラークーサイ出身のキュニコス派哲学者。シノーペーのディオゲネースとテーバイのクラテースの弟子で、笑いを交えた説教の創始者の一人。新喜劇作家メナンドロスがこの「すべては夢想だ」という彼の言葉を伝えている(ディオゲネース・ラーエルティオス『哲学者列伝』六・八二―八三＝断片二一五(コック))。なお、この個所は、訳文のように「帰せられている」ではなく、「向けられた」と訳されることもある。この場合、「すべてが幻想だ」という見方自体が幻想ではないのかという反論が出てくるということを意味する。

(16) 四巻二九章参照。

(17) 宇宙を指す。宇宙は神々と人間からなる国家であり、その最善の国制である。

(18) 質料(受動的な物体)のこと。四巻注(17)参照。

(19) ドナウ川右岸にあった属州パンノニアの首都。マルクスは一七一―一七三年にマルコマンニー族とクワーディー族に対処するため当地の陣営に滞留した。なお、この詞書は、近年では第三巻冒頭に置かれるのが普通である。

第　三　巻

(1) この時期に最も一般的な哲学の定義の一つ。セネカ『倫理書簡集』三一・八、八九・五参照。

(2) 植物も表皮を通して行う。六巻一六章、一二巻八章参照。

(3) 以上までは動物に備わる能力である。

(4) 一巻注(26)、六巻注(20)参照。

(5) 三巻一一章参照。

(6) 五巻二九章、八巻四七章、一〇巻八、三二章参照。自殺は「理に適った離脱」と呼ばれ、状況的な義務――苦痛などの自然に反する外的な悪が外的な善を圧倒する場合、自然に反するもののほうを選択するふさわしい行為――の筆頭である。

(7) 六巻三六章参照。

(8) コース島出身の古代ギリシアで最も有名な医者(前四六〇頃―三七〇以前)。

(9) バビュローニアの一地方名が元であるが、古典文学では占星術師を意味する。ヘレニズム期に東方からギリシアに到来したのちローマに伝わり、帝政初期に大流行した。一世紀末までに少なくとも九回罰せられている。

(10) アレクサンドロス大王(前三五六―三二三)。父のピリッポス二世が暗殺されて王位を継ぎ、ギリシアを征服後、アジアに渡り、前三三〇年にペルシア帝国を滅ぼした。さらに兵を進めて領地をメソポタミアにまで広げたが、熱病で急死した。

(11) グナエウス・ポンペイウス・マグヌス(大ポンペイウス)(前一〇六―四八)。前七〇、五五、五二年の執政官。第一回三頭政治の一人。カエサルと並び共和政末期を支配した政治家。軍事的手腕で東方世界に王のように君臨したが、内戦でカエサルに敗れ、エジプトの海岸で殺された。アレクサンドロスと同じく「偉大な」という添え名がつく。

(12) ガーイウス・ユーリウス・カエサル(前一〇〇―四四)。前五九、四八、四六―四四年の執政官、前四九―四四年の独裁官。第一回三頭政治の一人で共和政ローマ最大の政治家。卓越した指揮でガッリアを征服したのち、内乱でポンペイウスと共和政派を破って単独支配を築いたが、ブルートゥスら共和政派に暗殺された。

(13) 前五四〇頃―四八〇年頃。エペソスの狷介孤高の哲学者。火を実体とする彼の自然哲学からストア派は大きな影響を受けている。本個所で触れられる宇宙燃焼（宇宙が最後に火と化す教説）はストア派の自然学説である。彼の水腫と最期についてはディオゲネース・ラーエルティオス『哲学者列伝』九・三にある。

(14) 前四六〇—三七〇年頃。アブデーラ出身の哲学者で古代原子論の完成者。彼は虱で死んだのではなく、長生きののち絶食死したとされるので、マルクスは本個所で語られる死に関する逸話が伝わる前六世紀のペレキューデース（神話に関する著書を著した）と混同しているのかもしれない。なお、ヘーラクレイトスとデーモクリトスの二人を泣く哲学者と笑う哲学者という対にする扱いがローマ期の文学によく出てくる。セネカ『怒りについて』二・一〇・五参照。

(15) 前四七〇—三九九年。アテーナイの哲学者、古代哲学の祖。不敬罪で訴えられて刑死したので、告発者を虫に喩えているのであろう。

(16) ストア派の人間の生の目的の定義「自然と合致して（同じ理において）生きること」に基づく。

(17) たんなる人間理性ではなく、賢者に実現される完全なあり方の理性で、宇宙を支配する理性と同様である。

(18) 典拠は不明であるが、訳文のようにあとの文に掛けるなら、プラトーン『パイドーン』八三A—Bで語られている、哲学による肉体の感覚と情念からの魂の解放に関わるかもしれない。また、先行する文に掛けるなら、次のエピクテートスの言葉との関連も考えられる。「吟味なき生は生きるに値しないとソークラテースが言っていたのと同様に、表象を吟味せずに受け入れてはならない」（『語録』三・一二・一五）。

(19) ストア派は初期から情念を傷に喩えるが、特にセネカに顕著である。

(20) 一一巻一章、一二巻三六章参照。
(21) ストア倫理学の用語で、元来は自然から授けられた動物の身体の造作(自己と種の保存に合致した固有の形態)を言う。動物はこの自然の基盤に即して行動する。人間は、自然によって理性が与えられており、思考し命題に同意することで人間本来の行為をなす。七巻五五章参照。
(22) 六巻一三章参照。
(23) 二巻注(9)参照。
(24) 「いまは、時間になったから、朝食を取ろう。それから死のう。どんなふうにか。他人のものを返す人にふさわしいやり方で」(エピクテートス『語録』一・一・三二)。
(25) 本書を指しているかどうか不明である。
(26) シケリアのアクラガースの僭主(在位前五七〇頃—五五四頃)。ギリシアの残虐な僭主の典型。中に人を閉じこめて焼き殺す青銅製の牡牛像「パラリスの牛」で有名である。
(27) ルーキウス・ドミティウス・アヘーノバルブス、ネロー・クラウディウス・カエサル(三七—六八)。第五代皇帝(在位五四—六八)。ローマの暴君の典型。
(28) 本巻七章、一〇巻一三章参照。

第四巻

(1) 徳という生の技術が対象とする素材、つまり具体的な状況のこと。
(2) 直訳は「留保とともに」。ストア倫理学の用語で、動物のように好ましいか厭わしい表象に即座に譲歩して衝動の発動を許すのでなくて、表象内容を吟味すること。五巻二〇章、六巻五〇章、一一巻三七章、セネカ『恩恵について』四・三四・四参照。

(3) 宇宙に関するエピクーロス派とストア派の教説の対置。いずれにしても不満をもつべきではない。六巻一〇章、七巻七五章、八巻一七章参照。

(4) 身体の快感と苦痛のこと。「滑らか」「ざらついた」というエピクーロス派の用語にストア派の「息(生体の原理物体)」が付け加えられている。

(5) 身体の快苦は「無差別的なもの」「中間的なもの」に属し、真の善悪に無関係である。

(6) 「哲学者デーモクラテースの金言」の題名の下に伝わる八六の格言集成の八五番目と同じで、原子論者デーモクリトスの倫理思想と近く、彼の断片とされる(断片一一五(ディールス－クランツ))。

(7) これ自体がストア派の法の定義である。

(8) 二巻一六章参照。

(9) 愚かで不正な人間。「こういうこと」とは不正を働くこと。

(10) 五巻一七章、一二巻一六章参照。

(11) 二巻一五章参照。

(12) 五巻二八章参照。

(13) ストア自然学の概念。種子的理性とも訳され、種(精子)に含まれる理性(比)で、遺伝子のようなもの。ストア派は、宇宙自体と諸事物の生成と進行の過程を、生物の発生と形質発現の類比で捉える。

(14) 原文と解釈に諸説あり、神谷はヘインズに従っている。

(15) この後に「結局、」という語があるので、原文の脱落が想定されている。

(16) 消化され血となり、それに含まれる気息(火と空気の混合物で魂の素材)に変わること。

(17) 「質料的なもの」と「原因的なもの」とも訳される。ストア派は物体のみが実在であるとする唯物論に立つが、実体の特質は能動性と受動性の両方向から捉えられ、前者は神、後者は質料とも呼ばれる(マルクスは質料を実体(物質)とも呼んでいる)。これらは人間においては、心と身体(精神と物質)として把握される。なお、この文は前の文と無関係かもしれない。

(18) 行為を意欲するにあたって、ということである。二巻注(5)参照。

(19) 「把握」とも訳される。ストア派の認識論では、対象そのものに基づく真なる表象は「把握的表象(phantasia katalēptikē)」と呼ばれる。

(20) アリストパネース断片一一〇・一(コック)。ケクロプスは神話上のアテーナイ初代王。

(21) ギリシアの最高神であるが、ストア自然学では宇宙の理性と同一視される。

(22) デーモクリトス断片三(ディールス－クランツ)。セネカ『怒りについて』三・六・三、『心の平静について』一三・一でも引かれている。

(23) 九巻四章、一二巻一六章参照。

(24) 例えば、月と地球がこれほど離れていながら、潮汐において相和している。

(25) 一二巻一、一三章参照。

(26) 二巻一六章参照。

(27) ストア派の源流でもあり、いわゆる犬のディオゲネースで名高いキュニコス派は、弊衣粗食を旨として(例えば、肌着を付けなかった)、社会慣習のみならず、自由人にふさわしい教養学科(ここでは書物で象徴されている)も無用と見なし、真の幸福に寄与する生の技術としての哲学の実践のみを主張した。なお、この〔　〕内の個所の解釈には諸説がある。否定辞を移動させる案を取るなら、「私は学問からの糧はあるのに、理性を保持していない」、つまり教養をもちながら哲学の教えを実践していないというマルクスの自己批判になる。

(28)　ティトゥス・フラーウィウス・ウェスパシアーヌス（後九―七九）。第九代ローマ皇帝（在位六九―七九）。ネローの死後の政争に勝利して帝位に就き、堅実な施策で帝国を立て直した。

(29)　マルクス・ウルピウス・トラヤーヌス（五三頃―一一七）、第一三代ローマ皇帝（在位九八―一一七）。五賢帝の二人目で、名君として名高く、彼の下でローマ帝国の版図は最大化した。

(30)　マルクス・フルウィウス・カミッルス。前三九六年の独裁官として、強敵のエトルーリアのウェイイーを陥落させた。ガッリア人によるローマ劫掠への対抗をはじめ、多くの武勇を帰された伝説的英雄。

(31)　おそらくファビウス・ウィーブレーヌス・カエソー。前四七九年、ファビウス氏族の三〇六名を率いてクレメラ河畔でウェイイー人と戦い、一人を除いて全員とともに戦死した。

(32)　伝説的なサビーニー人で、初期ローマの名家ウァレリウス氏族の名祖。サビーニー人の王タティウスとともにローマに行き、彼とロームルスを和解させた。

(33)　マーニウス・クリウス・デンタートゥス。前二九〇、二八四、二七五、二七四年の執政官。サムニウム人、サビーニー人に勝利、ギリシアの名将ピュッロスを破った。古のローマの質実剛健の体現者の一人。

(34)　プブリウス・コルネーリウス・スキーピオー・アーフリカーヌス・マイヨル（大スキーピオー）（前二三五頃―一八三）。前二〇五、一九四年の執政官。第二次ポエニー戦争の英雄で、二〇二年ザマの戦いにおいてカルターゴーの名将ハンニバルを破った。

(35) マルクス・ポルキウス・カトー・ケンソーリウス(大カトー)(前二三四―一四七)。前一八四年の監察官。前二世紀前半に活躍した大政治家。

(36) ガーイウス・ユーリウス・カエサル・オクターウィアーヌス・アウグストゥス(前六三―後一四)。初代ローマ皇帝(在位前二七―後一四)。カエサルの甥で、前四四年にカエサルが暗殺されたのち、一八歳でその後継者として登場、第二回三頭政によって共和政派を打破。その後アントーニウスと対立して東西を二分したが、前三一年、アクティウムの海戦でアントーニウスとクレオパトラーの連合軍を破って地中海世界全域に単独統治を確立、改革によってローマに平和と繁栄の時代をもたらした。

(37) プブリウス・アエリウス・ハードリアーヌス(七六―一三八)。第一四代ローマ皇帝(在位一一七―一三八)。トラヤーヌスの養子となり、そのあとを継いだ。アントーニーヌス帝の養父でマルクスの養祖父。国境防備に尽力し、帝国内を精力的に回るとともに、内政(組織改革と法律編纂)を主導した。ギリシア文化(特に建築)を愛する文化人であった。少年マルクスを、その家名「ウェールス」(真実の)に掛けて「ウェーリッシムス」(最も真実の)と呼んだという逸話がある。

(38) 一巻一六章、一巻注(39)参照。

(39) ホメーロス『オデュッセイア』一・二四二。

(40) 運命の女神の三姉妹、モイライの一人で「紡ぐ者」の意味。人の寿命と運命は、紡がれ巻き取られた糸に準えられる。

(41) 「創造的(種子的)理性」のこと。

(42) エピクテートス断片二六(シェンクル)。

(43) ヘーラクレイトス断片七六(ディールス-クランツ)。

(44)　ヘーラクレイトス断片七一（ディールスークランツ）。
(45)　ヘーラクレイトス断片七二（ディールスークランツ）。
(46)　ヘーラクレイトス断片七三（ディールスークランツ）。
(47)　原文が破損しており、多くの訳者は「親の」と読んでいる。また、この文は、ヘーラクレイトス断片七四（ディールスークランツ）にもされている。
(48)　ギリシアのアカイア地方の古い町で、前三七三年に地震と津波のために水没した。
(49)　どちらも南イタリアの町で、七九年夏の有名なウェスウィウス火山の噴火で埋まった。
(50)　六巻一三章参照。
(51)　ホメーロスの有名な比喩。「それはいうなれば灰色の海に近くそそり立つ巨大な岩壁のよう、唸りを立てて吹き荒れる疾風の往来にも、盛り上がって打ち寄せる大波にもびくともせぬ」（『イーリアス』一五・六一八―六二一、松平千秋訳）。ウェルギリウスが『アエネーイス』七・五八六―五九〇で模倣している。賢者の不動の精神をこれに準えることはすでにセネカが行っている（『賢者の恒心について』三・五、『幸福な生について』二七・三参照）。一二巻二二章も参照。
(52)　一二三―一四〇年の間にダーキアで皇帝代理官を務めたクイントゥス・アルブルニウス・カエディキアーヌスかもしれない。
(53)　一三〇年の執政官ファビウス・カトゥッリーヌスかもしれない。
(54)　マルクスの師フロントーの書簡の名宛人にクラウディウス・ユーリアーヌスという人物がいる。また著名な法学者サルウィウス・ユーリアーヌスも考えられている。
(55)　この名の有名人物は第二回三頭政（前四三）の一人だが、他の三者がマルクスの同時代人であるとすると不自然であり、おそらく別人であろう。
(56) 五巻二三章、九巻三二章、一二巻七、三二章参照。
(57) ホメーロスの叙事詩で有名なピュロスの英雄。三世代を目にした長老としてギリシア勢の敬意を受け、将軍たちを相手に勧告と自慢話を行う。
(58) キュニコス主義はストア派によって「徳への近道」と言われる。ディオゲネース・ラーエルティオス『哲学者列伝』七・一二一参照。
(59) 〔 〕は、文意に疑義があり、神谷はトラノワに従っている。

第五巻

(1) 八巻一二章参照。
(2) 六巻五一章、九巻一六章参照。
(3) 七巻二八章、一二巻二二章参照。
(4) 二巻一章参照。胎児は経血によって養育される。
(5) ギリシアの最高神ゼウスは、ストア哲学では宇宙の理性、摂理、自然などと同定されるが、元来は印欧語族に共通する天候神であり、大気内の現象を司り、雨を降らせる。
(6) 一巻注(53)参照。アスクレーピオスはギリシアの医術の神で、二世紀に流行した。
(7) 「(出来事が人に)生じる」と「あるものが別のものにうまく適合している」という意味。
(8) 懐疑主義の哲学者たちは、対象の確実な把握というストア派の認識論を攻撃した。

（９）メナンドロスの『幽霊』からの引用。「君のところは、数々の善きもののためにどこもかしこも一杯で厠までふさがっている」（四二―四三、神谷美恵子訳）。これに対して真の善が多くて困ることはない。

（10）四巻二一章、四巻注（17）参照。

（11）四巻四章参照。

（12）宇宙が周期的に発生から燃焼へ至る同一の過程を繰り返すというストア自然学の教説への言及。二巻注（14）参照。

（13）ストア倫理学の用語で、賢者の行為を指す。「正しい行為」とも訳されるが、アウレーリウスの語釈のように「まっすぐな」という形容が含まれている。一般人の（親の務めというような場合の）義務、「ふさわしい行為」は、事実的な自然性や慣習に従うものでよく、行為の始点を問わない。これに対して、賢者の行為である「完全にふさわしい行為」は、外的には変わらなくとも、彼の正しい意志に発しており、宇宙の理性である「正しい（まっすぐな）理性」にかなっている。

（14）ストア派の生の目的の最も標準的な定式は、「自然と合致して生きること」である。これは「徳に従って生きること」と同じである。ディオゲネース・ラーエルティオス『哲学者列伝』七・八七参照。

（15）六巻一二章参照。

（16）二巻一章ほか参照。

（17）七巻五五章参照。

（18）四巻六章、一二巻一六章参照。

（19）八巻四六章、一〇巻三章参照。

(20) 四巻注(2)参照。

(21) 六巻二七章参照。

(22) 四巻五〇章参照。

(23) 一二巻三二章参照。

(24) 純粋に身体的な快感と苦痛のこと。これらは日常語では善悪に含まれるが、ストア哲学では、善悪は心のあり方(倫理的価値)にしか関わらないので、無差別的なものである(ただし、快には自然的＝事実的な正の価値、苦には負の価値がある)。なお、このあとの「欲情」は、そうした快苦のもたらす心の興奮状態を意味する。

(25) 心身は物体として緊密に連繋する以上、突発的または強烈な快苦の動と表象が伝達されると、善または悪でないと分かっていても身体の反応を制御できない。例えば、勇敢な兵士でも、戦闘を前に身体の震えなどの情念の表出と類似した反応が出る。自然的価値と真の善悪を混同すると、理性は転倒し、情念と化す。それゆえ理性は、表象に対してすぐに同意せず、留保をして、それが善や悪であるかどうか吟味すべきである。

(26) 四巻六章参照。愚者の悪行に怒ることの非を語っている。

(27) 二つの名詞と否定詞だけの唐突な文であるが、「人に腹を立てるのを警戒するのと同様に、人にへつらうのも警戒しなければならない」(一一巻一八章)ということであろう。

(28) 直訳は「ここから」。宮廷や陣営かもしれない。次の文の「他人」は、状況や運命とも解せる。

(29) エピクテートスの言葉。「家の中で煙が立ちこめている。ほどほどなら留まろう。ひどすぎるなら出ていこう」(『語録』一・二五・一八)。みずから命を絶つ「理に適った離脱」は、「状況的なふさわしい行為」で、煙に準えられている病苦などの自然的（外的）悪が自然的善を圧倒する場合に選ばれる。自然的価値の計量に基づくので、善悪（徳と悪徳）や幸不幸とは関係しない。

(30)　本巻一六章参照。

(31)　ホメーロス『オデュッセイア』四・六九〇。

(32)　九巻二四章参照。

(33)　ヘーシオドス『仕事と日』一九七。

(34)　魂は火的な物体であり、天の火が海と大地からの蒸発物を燃料とするのと同じように、血液からの蒸発物によって養われている。

(35)　四巻二一章参照。

(36)　「（苦痛に）耐えよ、（快楽を）控えよ」（エピクテートス断片一〇（シェンクル））がマルクスの心の師エピクテートスの標語であった。

(37)　「生の滑らかな流れ」はストア派の開祖ゼーノーンによる目的（幸福）の定義である。

(38)　一般人（愚者）が自然的な価値（健康、美貌、富、家族など）を失って悲しんでいる様子を目にしても、その表象に引かれて悲しんではならない（それらは真の善ではないのだから）。自身はそうした感情に溺れずに、共感の態度をもって相手に助力すべきことを、（本個所の感情は悲しみでなく喜びであるが）喜劇の一場面に重ねているのであろう。老師が子供と別れるさいに、彼を喜ばそうと、わざと彼の玩具を記念にくれるように頼む。子供は一般人または愚者、玩具は彼にとっての善である自然的価値を意味し、哲学を修める者は、それが真の善でないと知りつつ、嬉しい態度で受け取るべきである、といったことと考えられる。なお、この後に数語、大きく破損した原文が続いているが、神谷に従い訳出を控える。

（39）ここから後を三七章とする校訂本も多い。

（40）別の読みによれば「どこで不意打ちをくらっても」、つまりどんな場合でも、の意味。マルクスは、ここで言われる普通の意味での「幸運な人間」を哲学的に言い直している。

第六巻

（1）格言。「またあるとき、どうするのが一番よいことかと訊ねられて、「現にあるものをうまく利用することだ」と彼（ピッタコス）は答えた」（ディオゲネース・ラーエルティオス『哲学者列伝』一・七七、加来彰俊訳）。

（2）分解して煙のような微細なものに変わること。ストア自然学では宇宙は最終的にすべてが火と化す。その過程は常に不可逆的に徐々に進行している。これに対して、原子が絶えず結合と分離を繰り返すというのがエピクーロス派の見解である。ここは死を二つの理論で語ったもの。

（3）五巻一九章参照。

（4）四巻三章参照。

（5）「そなたらは誰も彼も……水と土に帰るがよかろう」（ホメーロス『イーリアス』七・九九、松平千秋訳）。

（6）カンパーニアの銘酒で、ラテン文学に頻出する。

（7）ローマの政務官が着用する市民服《トガ》。貝から取れる赤い染料は古来テュロスの名産で、極めて高価であった。一般に善と見なされている富を表す。

（8）前三六八／五―二八八／五年。テーバイ出身のキュニコス派哲学者、詩人。シノーペーのディオゲネースの弟子で、妻のヒッパルキアーとともに清貧の生を送り、市民に勧告を与えた。ストア派の開祖キュプロスのゼーノーンの師でもある。

（9）カイローネイア出身。プラトーンの弟子で、その学園アカデーメイアの第三代学頭（在任前三三九―三一四）。厳格な性格で、「思い上がったところのまったくない人」であった。この個所で意味されているのは、過剰な自負がない彼の性格に対する評価自体が思い上がりになるということであろう。

（10）ストア自然学では、万物に浸透している気息（pneuma）が各事物を成り立たせている。気息は緊張の度合いに応じて、無機物では「状態（hexis）」、植物では「自然（physis）」、動物では「魂（psyche）」、人間では「理性的魂」または「理性（logos）」となる。

（11）四巻四三章参照。

（12）五巻三三章、五巻注（34）参照。ストア自然学では、胎児を活かしているのは植物と同じ自然であり、生まれて呼吸を始めた瞬間、それが魂に変化する。

（13）三巻一章参照。

（14）理性と同義である。三巻注（21）参照。

（15）「益するとは、徳に従って動かしたり引き止めたりすることであり、害するとは、悪徳に従って動かしたり引き止めたりすることである」（ディオゲネース・ラーエルティオス『哲学者列伝』七・一〇四、加来彰俊訳）。

（16）四元素（構成要素）のうち、火と空気は上方へ、土と水は下方へ運ばれる。これに対して、天の純粋な火（アイテール）は周回運動を行っている。

(17) 一巻注(26)参照。

(18) 三巻三章、三巻注(10)参照。

(19) 四巻一四章参照。

(20) 義務は数から成る。「こうした(役者の演技や舞踊の)技術は、正しく行われている場合でも、当の技術を構成している諸々の部分をすべて含んでいるわけではない。これに対して、正しい行為は、徳のすべての数を含んでいる」(キケロー『善と悪の究極について』三・二四)。

(21) 「一般的に、いかなる動物も、他のいかなるものにも増して、自己に益するものに親近になっている。だから、それに対して自分を妨げるように思われるものには、それが何であれ……憎しみを抱く。自分自身の益ほど愛するものはないように生まれついているからである」(エピクテートス『語録』二・二二・一五)。

(22) 五巻二八章参照。

(23) 皇帝を意味する。

(24) 義父のアントーニウス・ピウス帝。一巻一六章、一巻注(39)参照。

(25) 「では外的なもののうち、何が自然に即していると、何が自然に反していると言われるのだろうか。かりにわれわれが切り離されたものだとするなら、そうなったのと同様である。つまり、足にとって自然に即しているのは、清潔であることだと言おう。だが、足を足と見なして切り離されたものとしないなら、足は泥や茨を踏むこともふさわしいことになろう。全体のために切り取られることすらありうる」(エピクテートス『語録』二・六・二四)。

(26) それゆえ、快楽は善ではない。「神には、欲望の対象をくだらぬものとするさい、それを卑劣極まる者に手渡し、最善の人から取り去る以外に、うまいやり方がないのだ」（セネカ『摂理について』五・二）。

(27) カルキディケー半島に東端に屹立するピラミッド形の高峰（標高一九三八メートル）。ペルシア戦争でクセルクセース王がアジアからヨーロッパへと進軍する途中、前四九二年に艦隊がこの近くで嵐で難破したため、半島の地峡に運河を掘った。

(28) 三巻二章参照。

(29) 二巻一四章、七巻四九章ほか参照。

(30) 通常の写本の読みでは「緊張的運動」。全宇宙と各物体に行きわたっている気息の双方向的な運動を意味する。「共通の呼吸」とは、例えば月と潮汐の関係などのように、宇宙内の距離的に離れた事物に生じる共感現象を言う。

(31) ヘーラクレイトス断片七五（ディールス－クランツ）。

(32) 前二八〇頃―二〇八年。ソロイ出身のストア哲学者で、第三代学頭（在任前二三二―二〇八）。初期ストア哲学の大成者。本個所に関わる彼の言葉を、プルータルコスが伝えている。それによるとクリュシッポスはその『自然について』第二巻の中で、「喜劇の中には時に笑うべき詞句があり、それはそれ自身において悪いものであるが、その詩全体にたいしてはかえってあるおもむきを加える。ちょうどそのように、悪徳はそれ自体において非難されるべきものではあるが、ほかの意味においては満更役に立たぬものでもないのである」（『共通観念について』一四・一〇六五D＝『初期ストア派断片集』二・一一八一、神谷美恵子訳）。

(33) 農耕と穀物の女神デーメーテールのこと。アスクレーピオスは医術の神。

(34) 第三巻注(21)参照。
(35) ストア倫理学では、有益とは善の固有性質であり、厳密には徳と徳に即した行為にのみ言われうる。この観点からすれば個人の善と宇宙の善は合致する。これに対して、日常語で有益であると言われる健康や富などの自然的価値をもつものは善悪無差別的である。三巻六章参照。
(36) この名前には小アジア出身の後一世紀初期のミーモス(ものまね)劇作家がおり、他の二人も同様にミーモス劇作家かもしれない。あるいは、三人ともマルクスの奴隷だったことも考えられる。
(37) 三巻注(13)参照。
(38) 前六世紀中期にサモスに生まれた哲学者、数学者、宗教家。前五三〇年頃に南イタリアのクロトーンに移り、当地で宗教団体を組織した。
(39) 三巻注(15)参照。
(40) クニドス出身の高名な数学者、天文学者(前三九〇頃—三四〇頃)。
(41) ニーカイアに生まれロドスで活躍した天文学者(前二世紀後半)。
(42) シュラークーサイ出身の数学者、技術者(前二八七頃—二一二/一)。金と銀の比重の相違を発見した時の逸話、シュラークーサイ陥落時にローマ兵に殺されたことはよく知られる。
(43) シリアのガダラ出身の作家(おそらく前三世紀前半)。キュニコス派の影響を受け、パロディを活用し諷刺と諧謔に富む作品を著した。
(44) 四巻三三章に本章と同様な思考がある。
(45) 原語の重量単位 litra は約三四〇グラム。
(46) 四巻注(2)参照。

(47) 五巻一章、九巻一六章参照。
(48) 五巻二三章参照。

第七巻

(1) 四巻四四章参照。
(2) 二巻一四章参照。
(3) 六巻三一章参照。
(4) 一〇巻二七章参照。
(5) 一一巻二二章参照。
(6) 二巻二章、一二巻一九章参照。
(7) 六巻五三章、本巻三〇章参照。
(8) 神谷はトラノワの挿入を採っている。
(9) 四巻二一章参照。
(10) 前者が肯定される。三巻五章参照。
(11) 六巻三三、六巻注(25)参照。
(12) 一一巻四章参照。
(13) 四巻二〇章参照。貝から取れる染料については、六巻一三章参照。
(14) 神谷は本章と次章でヘインズの提案に従っている。

(15) こうした呼びかけの例としては、「ちょっと待ってくれ、表象よ。君が誰で、何に関するものなのか、私に見させてくれ。君を検査させてくれ」(エピクテートス『語録』二・一八・二四)。
(16) 六巻注(32)参照。
(17) 一巻注(19)参照。
(18) 本巻二五章参照。
(19) 六巻一五章参照。
(20) 八巻一四章参照。
(21) 一〇巻三〇章、一一巻一八章参照。
(22) 四巻三章冒頭、八巻四八章参照。
(23) 本巻一七章参照。
(24) 本巻三章、一二巻一九章参照。
(25) 二巻五章参照。
(26) 九巻二〇、三八章参照。
(27) キケロー『善と悪の究極について』三・七三のストア倫理学概説の終りに、古賢の言葉の一つとして引かれている。七賢人の箴言の一つだが、ピュータゴラースにも帰されている。
(28) 原子論者デーモクリトスを指す。なお、本個所の原文と解釈は不確かで、神谷はヘインズに従って言葉を補っている。デーモクリトスは、知覚像は相対的であり、真に存在するのは原子と空虚であると主張した(断片九、一一七、一二五(ディールス-クランツ))。マルクスは、デーモクリトスが用いた「法則(=慣習、主観)」という語を、ストア哲学の「共通の法」に読み換える。

(29) エピクーロスの言葉として名高い。「大きな苦痛はすぐに過ぎ去る。長い苦痛は大きさをもたない」、「なぜなら、過度の苦痛は死に繋がるから」(断片四四七、四四八(ウーゼナー))。

(30) 六巻五九章、七巻六二章参照。

(31) 竄入とする校訂本が多い(本巻三六、四四章も同様)。

(32) プラトーン『国家』六・四八六A―B。

(33) 前五世紀中期―四世紀。ソークラテースの弟子で、幸福にとって徳だけで充分であると主張した。後代の著作家は彼をキュニコス派の創始者と見なしている。

(34) この言葉は、エピクテートス『語録』四・六・二〇で、アンティステネースがキューロス王に向かって言った言葉として引かれている。プルータルコス『対比列伝』「アレクサンドロス」四一ではアレクサンドロス大王に帰されている。

(35) エウリーピデース『ベレロポンテース』断片二八七・一―二(ナウク)。

(36) 作者不明の六脚律。

(37) エウリーピデース『ヒュプシピュレー』断片七五七・六―七(ナウク)。一一巻六章でも引用される。人間の儚さを歌うこの一節をストア派哲学者クリューシッポスが称賛したこともよく知られている(キケロー『トゥスクルム荘対談集』三・五九参照)。

(38) エウリーピデース『アンティオペー』断片二〇八・一―二(ナウク)。一一巻六章でも引用される。

(39) エウリーピデース作品名不詳断片九一八・三(ナウク)。

(40) 不詳。

(41) プラトーン『ソークラテースの弁明』二八B。

(42) プラトーン『ソークラテースの弁明』二八D。
(43) プラトーン『ゴルギアース』五一二D—E。
(44) 一一巻二七章参照。
(45) この冒頭の一文は初版本と有力写本に見られるが、おそらく本巻四六章の引用に対する評言が竄入したものと考えられる。本章で引かれている言葉はプラトーンのものではない。
(46) 九巻三〇章、一二巻二四章参照。
(47) 神谷はトラノワによる補いを採り、副詞節に訳している。通常の読みでは命令になる。
(48) 二巻一四章参照。
(49) エウリーピデース『クリューシッポス』断片八三九・九—一四(ナウク)。「エーテル」は天、高空を意味する。
(50) エウリーピデース『ヒケティデス』一一一〇—一一一一。長生きのための工夫を批判する個所。
(51) 未特定の悲劇断片三〇三(ナウク)。
(52) 原文はスパルタ方言の形容詞を用いている。元となる逸話は、プルータルコスが伝えている。「オリュンピア競技会でレスリングで敗北したラコーンという人に向かってある人が、「相手のほうが、ラコーン君、君より優れていたわけだ」と言ったら、彼は答えた、「いや、そうではなくて、向こうのほうが角力がうまかっただけだ」」(『スパルタ式警句集』七二・二三六E)。
(53) 五巻三章、本巻五五章末尾参照。
(54) 五巻一六、三〇章、一一巻一〇章参照。
(55) 原文はあいまいで、神谷はここに「そのやりかたのみ問題なのだ」を補うトラノワの説明を紹介している。

(56) 本巻三七章参照。

(57) ストア派は生の技術（哲学）を、医術などと異なり、行為の対象を自己のうちにもつ舞踊や演技に喩えた。キケロー『善と悪の究極について』三・二四参照。角力については一二巻九章参照。

(58) 六巻五九章、本巻三四章参照。

(59) エピクテートス『語録』一・二八・四、二・二二・三六にプラトーンの言葉として引かれている。プラトーン『ソピステース』二二八Cの言い換えである。八巻一四章、一〇巻三〇章なども参照。

(60) 本巻注(29)参照。

(61) ピュータゴラース派に関わる伝説的人物で、ピュータゴラースの子で後継者、エンペドクレースの師だったとも言われる（ディオゲネース・ラーエルティオス『哲学者列伝』八・四三参照）。ソークラテースの弟子アイスキネースが書いた対話篇に、キュニコス派的な乞食哲学者として登場する。

(62) プラトーン『饗宴』二二〇A―D参照。

(63) プラトーン『ソークラテースの弁明』三二C―D参照。三十人政権がサラミースのレオーンを処刑するために呼び出すことをソークラテースに命じたが、彼はこの任務を拒絶した。

(64) アリストパネース『雲』三六三、プラトーン『饗宴』二二一B参照。

(65) 倫理学以外の哲学分野であり、優れた知性と専門的な取組みが必要とされる。一巻一七章、五巻五章、八巻一章参照。

(66) 八巻五一章参照。

(67) 三巻一一章参照。

(68) 二巻五章参照。
(69) 九巻一一章参照。
(70) 五巻一七章、九巻四二章冒頭参照。
(71) 五巻六章、九巻四二章末尾参照。
(72) 四巻四五章、九巻二八章参照。
(73) この選言命題のうち、前者を取るべきだということ。

第八巻

(1) 六巻一二章参照。ローマの上流階層は哲学から距離をもつことを求められた。
(2) 一巻一七章末尾、七巻六七章参照。知的能力を誇ることを意味する。
(3) この三名については、三巻三章、三巻注(10)、(12)、(11)参照。
(4) 前四一二/〇三—三二四/一頃。シノーペー出身の哲学者で、キュニコス派の象徴的存在。三六二年以後、シノーペーから追放されてアテーナイとコリントスで過ごした。形骸化した伝統体制に抗して「自然に従う生」を範に掲げ、乞食生活と奇行で実践した。ストア哲学の精神的父として、帝政期ストア派では尊重される。
(5) 三巻注(13)、(15)参照。
(6) 別の読みによれば「同一不変のもの」。
(7) 両者については、四巻三三章、四巻注(37)、(36)参照。

（8）以上の三つの心の働きについては、本巻二八章参照。
（9）二巻三章参照。
（10）快楽は善でないことを導出する同種の推論は、本巻三九章参照。
（11）三巻一一章参照。
（12）五巻一章参照。
（13）哲学の三部門を指すが、「倫理学」は、原語ではその一部門である「情念論」である。
（14）五巻一七章参照。
（15）一一巻三三章参照。
（16）六巻三〇章末尾、七巻五、七章参照。
（17）六巻四三章参照。「その他の神々」とは星を指す。
（18）七巻二三章、九巻一七章参照。
（19）三巻一〇章、四巻三三章参照。
（20）四巻一七章参照。
（21）マルクスの母ドミティア・ルーキッラと父のアンニウス・ウェールス。一巻注（4）、（3）参照。
（22）おそらくマクシムスの妻であろう。マクシムスについては、一巻注（37）参照。
（23）この二人については不明。後者は、八巻三七章の文脈からするとハードリアーヌス帝の解放奴隷かもしれない。
（24）アンニア・ガレリア・ファウスティーナ（一四〇／一没）。アントーニーヌス・ピウス帝の妻。
（25）カニーニウス・ケレルという人物が、マルクスとルーキウス・ウェールスのギリシア語修辞学教師にいるので、その人物かもしれない。

(26) 皇帝と思われるが、同名の弁論家かもしれない。

(27) おそらくペルガモン出身のストア哲学者。ネロー帝とその後継皇帝についての史書を著したとされるので、おそらく後一世紀後期。

(28) こうした文脈でこの名の著名人物と言えば、カリグラ帝からウェスパシアーヌス帝の時代に活躍したキュニコス派哲学者なので、「プラトーン学派の人」は何らかの誤りの竄入と思われる。

(29) ハードリアーヌス帝の支援者で、のちに皇帝の不興を被った人物が存在した。

(30) 四巻三二章参照。

(31) 一巻一二章、一巻注(26)参照。「義務(ふさわしい行為)は、一般的に関係によって測られる。彼は父だ。(子は彼に)仕え、万事につけ譲るということが導かれる」(エピクテートス『提要』三〇)。

(32) 七巻三三章参照。

(33) 七巻二九章、九巻七章参照。

(34) 三巻一一章参照。

(35) 四巻注(36)参照。

(36) 彼の三番目の妻リーウィア・ドルーシッラ(前五八―後二九)。

(37) 二番目の妻スクリーボーニアとの間に生まれた彼の一人娘ユーリア(前三九―後一四)。

(38) オクターウィアの息子マルクス・クラウディウス・マルケッルス(前四二―前二三)、ユーリアとアグリッパの息子ガーイウス・カエサル(前二〇―後四)とルーキウス・カエサル(前一七―後二)。彼らの早世がアウグストゥス体制の継承に深刻な影を落とした。

(39) 原語のもう一つの意味である義理の息子と理解するなら、リーウィアの連れ子のティベリウス・クラウディウス・ネロー(第二代ローマ皇帝、在位後一四—三七)と、その弟ネロー・クラウディウス・ドルースス(前三八—三九)。
(40) オクターウィア(前一一没)。二度目の結婚でマルクス・アントーニウスに嫁いだ。前二三年の息子マルケッルスの死にうちのめされた。
(41) マルクス・ウィプサーニウス・アグリッパ(前一二没)。優れた武将としてオクターウィアーヌスに忠実に仕え、彼の娘ユーリアを娶った。
(42) アレイオス・ディデュモス(前一世紀末)。アレクサンドレイア出身のストア派哲学者で、アウグストゥス家に仕え、リーウィアに宛ててドルーススの死を慰める書を著した。彼が著したストア派とペリパトス派の倫理学の概説書が後五世紀の編集者ストバイオスの『抜粋集』に保存されて伝わっている。
(43) ガーイウス・キルニウス・マエケーナース(前八没)。アグリッパと並ぶオクターウィアーヌスの盟友として、外交や内政面での補佐を担当した。ホラーティウス、ウェルギリウス等の文人を保護したことで名高い。
(44) 三巻注(11)参照。本章と同種の思想は四巻三一、三三、四八章などを参照。
(45) 五巻三四章参照。
(46) 四巻一章、六巻五〇章、本巻三五章参照。
(47) 一一巻八章参照。
(48) 四巻一章、五巻二〇章、六巻五〇章、本巻三二章参照。
(49) 七巻八章参照。

(50) スミュルナ出身で、ルーキウス・ウェールスの愛人。
(51) おそらく、ルーキウス・ウェールスに仕えた解放奴隷。
(52) おそらく、ハードリアーヌス帝に仕えた解放奴隷。後者については、本巻二五章参照。
(53) 「われわれは、身体という、あらゆるもののなかで最も不快で最も不潔なものを愛して世話している。……そんな皮袋を、私は一杯にしては空にする。何がこれより厄介だというのか。だが私は神に仕えなければならない」(エピクテートス断片二三(シェンクル))。
(54) ヘインズの校訂による。
(55) 本巻一〇章参照。
(56) 本巻四七、四八章参照。
(57) 四巻注(2)、六巻五〇章参照。
(58) トラノワの提案に従ったもの。
(59) エンペドクレース断片二七・四、二八・二(ディールス－クランツ)。一二巻三章でも引かれている。一一巻一二章も参照。
(60) 四巻一九章参照。
(61) 二巻一三章参照。
(62) 一〇巻二〇章参照。
(63) 「理性的な動物にとって唯一耐えられないのは、非理性的なことである。理に適ったことは耐えられる」(エピクテートス『語録』一・二・一)。
(64) 本巻二九章参照。

(65)　三巻一章、五巻二九章参照。「子供たちより臆病になるな。同じようにするのだ。彼らは、気に入らないことがあると、「もう遊ばない」と言う。君も、何かそういった状況が君にあるように思えるなら、「もう遊ばない」と言って立ち去りたまえ。だが、留まっているなら、嘆くのはよせ」(エピクテートス『語録』一・二四・二〇)。

(66)　「賢者を守る、あの城壁は、炎からも衝撃からも安全である。いかなる進入路も与えない。高く聳え、攻略不能で、神々に並び立つ」(セネカ『賢者の恒心について』六・八)。また、エピクテートス『語録』四・一・八六―九〇を参照。

(67)　マルクスは多くの子供を亡くしている。

(68)　七巻一章参照。

(69)　本巻一八章参照。

(70)　七巻六八章参照。泉の比喩は、七巻五九章参照。

(71)　「自分が誰なのか、何のために生まれたのか、どんな宇宙のなかで、どんな者たちと共生し、善が何で悪が何か……知らない者は、……自分のことをちょっとしたものだと思っているが、無にすぎないのだ」(エピクテートス『語録』二・二四・一九)。

(72)　〔　〕はガタカーによる補いを訳したものである。

(73)　四巻四章参照。

(74)　二巻一一章参照。

(75)　誤った語源による説明。ストア派は俗用語源による解釈を愛好した。

(76)　三巻三章参照。

(77) 六巻二七章参照。
(78) 「人間に人間として会っているのは、相手の考えを知り、自分からも自分の考えを示す人である」(エピクテートス『語録』三・九・一二)。

第九巻

(1) 七巻二章参照。
(2) 六巻一六章末尾、四一章、六巻注(26)参照。
(3) 倫理的な善悪でなく、日常語で善いまたは悪いと言われるもの(このあとに列挙される快楽と苦痛、生と死、名誉と不名誉など)。
(4) 七巻七五章参照。
(5) 「創造(種子)的理性」のこと。四巻注(13)参照。
(6) 直訳は「第二の航海」で、帆ではなく櫂で航海すること。プラトーン『パイドーン』九九C—Dなどでよく知られた比喩。
(7) 疫病は汚れた空気によって伝染すると考えられていた。一六六年に遠征先のメソポタミアから帰還した兵士によってもたらされた疫病の大流行は、彼の治世とローマ帝国に深刻な影響を及ぼしている。『皇帝群像』「マルクス・アントーニーヌス」一七・二、二八・四、同「ウェールス」八・二参照。
(8) 四巻五〇章、一二巻三四章では死の軽蔑が説かれる。本個所はある種の哲学的言説に対する自戒を含んだより一般向けの考察であろう。

(9) ファウスティーナは一四人もの子を産んでいる。なお、死を誕生と重ねる比喩のより巧みな使用は、セネカ『倫理書簡集』一〇二・二三―二七に見出される。
(10) 一二巻一六章参照。
(11) 七巻二九章、八巻二九、四九章、一二巻二五章参照。
(12) 一二巻三〇章参照。
(13) こうした存在の階梯については、六巻一四章などを参照。
(14) 六巻三八章、六巻注(30)参照。
(15) 一一巻一章参照。
(16) 本巻四二章参照。
(17) 二巻一五章、八巻四七章参照。
(18) 二巻一四章、四巻三二章参照。
(19) 四巻三九章参照。
(20) 五巻一章参照。
(21) 八巻二〇章参照。
(22) 七巻三四章、本巻二七章参照。
(23) 四巻三章末尾、七巻一八、二五章参照。
(24) 七巻二九章、本巻三八章参照。
(25) 父の死後マルクスを引き取った祖父アンニウス・ウェールス。一巻注(1)参照。
(26) 母ドミティア・ルーキッラ。一巻一七章、一巻注(4)参照。

(27) アントーニーヌス・ピウス帝。一巻一六、一七章、一巻注(39)参照。
(28) 五巻三三章参照。
(29) 四巻四一章で引かれているエピクテートスの言葉のヴァリエーション。一〇巻三三章でも身体は死体に比されている。
(30) ホメーロス『オデュッセイア』第一一巻の通称。オデュッセウスは冥府行において死者の霊を喚び出す。マルクスは、この世の生を死者の魂の虚ろなあり方に準えているのであろう。
(31) 個体としての性質をもつこと。
(32) 七巻二八章参照。
(33) 本巻一八、三四章参照。
(34) 本巻一一章参照。
(35) 二巻一四章、四巻五〇章、本巻三五章参照。
(36) 四巻四〇章参照。
(37) 七巻七五章、本巻一章末尾参照。
(38) 〔しかし……〕からここまで、神谷はヘインズの提案に準拠して訳している。「不可分のもの」では分かりにくいので、近年ではこれを「運命」に換えるものが多い。六巻一〇章、本巻三九章参照。
(39) 本巻一九章、一二巻二一章参照。
(40) 「哲学者が統治を行うか、統治者が哲学をするなら国家は栄えるであろう」というプラトーンの言葉を、マルクスは常に口にした」(『皇帝群像』「マルクス・アントーニーヌス」二七・七、南川高志訳)。
(41) 三巻注(10)参照。

(42) ピリッポス二世(前三八二―三三六)。マケドニア王で、アレクサンドロス大王の父。
(43) 前三五〇年頃生。アテーナイの政治家でペリパトス派哲学者。マケドニア王カッサンドロスに委ねられ、アテーナイを一〇年間統治した。
(44) 三巻七章、五巻二八章参照。
(45) 七巻三一章参照。
(46) 七巻四八章参照。
(47) 一一巻一章参照。
(48) 四巻五〇章、五巻二三章、一二巻七、三二章参照。
(49) 二巻一四章、四巻五〇章参照。
(50) 七巻三四、六二章、本巻一八、二七章参照。
(51) トラノワはここを削除している。
(52) 一〇巻七章参照。
(53) 六巻一三章参照。
(54) 二巻二章、五巻三三章参照。
(55) 四巻二一章参照。
(56) 四巻二六章参照。
(57) 七巻二九章、一一巻一八章、一二巻一六章参照。
(58) 四巻二七章、六巻一〇章、七巻三二章、一二巻一四章参照。
(59) 六巻四四章参照。

(60) 二巻二一章参照。
(61) エピクーロス断片一九一(ウーゼナー)。
(62) トラノワに従ったもの。彼はここに「まさにこの事実から」といった意味の言葉の脱落を想定している。
(63) 五巻一七章参照。
(64) 六巻二七章参照。
(65) 四巻三九章参照。
(66) 五巻六章、七巻七三章、一一巻一章参照。

第一〇巻

(1) 一一巻二七章参照。
(2) 九巻六章参照。
(3) 三巻一一章参照。
(4) 植物、動物、理性的動物という存在の階梯については、六巻一四、一六章、八巻四一章参照。
(5) 八巻四六章参照。
(6) 七巻三三章参照。
(7) 六巻二七章、八巻一七章、九巻四二章参照。
(8) 四巻二六章参照。

(9) 五巻二二章、六巻五四章、本巻三三章末尾参照。

(10) 五巻注(37)参照。

(11) コラエスの physei を採った訳。

(12) この選言は七巻三二章、本巻六章参照。各元素への回収は、四巻四章参照。

(13) 宇宙燃焼と永劫回帰。三巻三章、三巻注(13)参照。

(14) 身体の快苦のこと。四巻三章、四巻注(4)参照。

(15) 円形競技場で猛獣と戦う闘士。罪人や捕虜の場合もあった。セネカ『倫理書簡集』七・四、七〇・二〇参照。

(16) 「かくてこれらのものたちは、心になんの憂《うれ》いもなく、／深く渦巻くオーケアノスのほとり、「至福者の島《マカローン・ネーソイ》」に住んでおるのだ。／仕合せな英雄たちではないか——彼らのために穀物を恵む沃土が、／一年に三たびも、蜜のごとき甘き果実をみのらせ、もたらしてくれる」(ヘーシオドス『仕事と日』一六九—一七二、松平千秋訳)。

(17) 三巻注(6)参照。

(18) ヘインズに従った読み。

(19) 五巻一章、八巻二六章参照。

(20) 二巻一七章参照。これらは身体の世話をはじめとする世の煩いの比喩である。

(21) 一一巻一五章参照。

(22) マルクスは、サルマティア人のイアジュゲス族と戦い、一七五年には「サルマティクス」の添え名を得ている。

(23)「まっすぐな歩み」については、五巻三章、七巻五五章、「神に従う」については、七巻注(27)を参照。

(24) 七巻五、七章参照。

(25) 神谷はトラノワに従って脱落を認めている。トラノワは「頻繁にあること」といった語を補うが、多くの訳者は「失敗とはまさにこのことを外すことだから」と理解している。

(26) 三巻四章、六巻五九章、七巻六二章、八巻五二、五三章、九巻三四章、本巻一九章参照。

(27) 七巻一七章参照。

(28) 四巻三章、本巻二三章参照。

(29) 八巻三章参照。

(30) 四巻二三章参照。

(31) エウリーピデース作品名不詳断片八九八・七—九(ナウク)。天は地に雨を降らすことを好む。愛欲の神アプロディーテーが天と地を支配することを述べたもの。

(32) プラトーン『テアイテートス』一七四D—Eからの不正確な引用。王侯も、被支配者を搾取する欲望にとらわれているならば、山にいる無学な牧童と何ら変わらないということが語られている。

(33) 五巻一一章、一二巻三三章参照。

(34) 一一巻九章参照。

(35) 七巻四九章参照。

(36) 四巻注(37)、八巻二五章参照。

(37) 一巻注(39)、一巻一六章参照。

(38) 九巻注(42)参照。
(39) 三巻注(10)参照。
(40) リューディアの王(在位前五六〇／一一五四七頃)。富で名高かったが、ペルシアのキューロスに敗れ、国と王座を失った。ヘーロドトス『歴史』第一巻の記述でよく知られる。
(41) 四巻三二章、八巻三一章参照。
(42) ストア派第二代学頭のクレアンテースの有名な詩(セネカとエピクテートスが引用した)を参照。「われを導きたまえ、ゼウスよ、運命よ。いずことも、おんみらに定められしわれ／臆せず従いゆくゆえに。だが望まずとても／愚者になりはて、劣らず従いゆこう」(断片五二七(フォン・アルニム))。
(43) 一二巻三一章参照。
(44) 七巻二六章、一一巻一八章参照。
(45) 六巻二七章、八巻一四章参照。
(46) 以下の一二人の人物については、一部が推定される以外、何も分からない。
(47) 一巻四章、一巻注(5)のセウェールスかもしれない。
(48) ソークラテースの幼なじみの裕福なアテーナイ市民かもしれない。
(49) ソークラテースの弟子の有名な著作家(前四三〇頃―三五五頃)かもしれない。
(50) 七巻六八章参照。
(51) 八巻三二章参照。
(52) 三巻一章、五巻二九章、本巻八章参照。「理性が要求する行為」は、「ふさわしい行為」(一巻注(26)参照)の定義の一つである。

(53) ストア派のクリューシッポスが自由意志の説明において円筒を用いたことはよく知られている。「円筒を押し出した者は、運動の契機を与えはしたが、回転する能力は与えていない。それと同様に、投射された「表象」は、たしかにその姿を魂に押し付け、いわば刻印する。しかし、それでも「同意」はわれわれの支配下にあるであろう」(キケロー『運命について』四三、五之治昌比呂訳)。

(54) 四巻四一章、九巻二四章参照。

(55) 四巻七章参照。

(56) プラトーン『饗宴』二一八Aでは、哲学の言論に取り憑かれたことを蝮《まむし》に咬まれた状態に準えている。

(57) ホメーロス『イーリアス』六・一四七―一四九。「風が木の葉を地上に散らすかと思えば、春が来て、蘇《よみがえ》った森に新しい葉が芽生えてくる。そのように人間の世代も、あるものは生じ、あるものは移ろうてゆく」(松平千秋訳)。

(58) ホメーロス『イーリアス』六・一四八。

(59) 「疲れた眼には緑色が効く」(セネカ『怒りについて』三・九・一)。

(60) マルクスは多くの子を失ったが、彼らを愛し気遣っていたことは確かである。一巻八章、七巻四一章、八巻四九章、九巻四〇章、一一巻三四章参照。

(61) マルクスが自分の世評を非常に気にしていたことは本書の随所から明白である。『皇帝群像』「マルクス・アントーニーヌス」七参照。

(62) 一二巻三六章参照。

(63) 三巻三章、一二巻二章参照。

第一一巻

（1）六巻八章参照。
（2）九巻一〇章参照。
（3）六巻注(20)、七巻注(57)参照。
（4）メガラの哲学者スティルポーンは、略奪ですべてを失った時にそう語った。セネカ『賢者の恒心について』五・六、『倫理書簡集』九・一九参照。
（5）二巻注(14)、五巻一三、三三章、一〇巻七章参照。
（6）六巻三七章、七巻四九章参照。
（7）レスリングとボクシングを合わせたような総合格闘技。
（8）三巻一一章、六巻一三章参照。
（9）九巻二一章参照。
（10）竄入と見なす校訂本、訳書が多い。エピクテートス『語録』四・七・六には、本個所および八巻四八章と同様な文脈で、死の恐怖に動じない彼らの態度が触れられている。
（11）三巻七章参照。
（12）七巻一三、七三、七四章参照。
（13）人生と劇の比較は、一〇巻二七章、本巻一章、一二巻三六章など参照。
（14）ソポクレース『オイディプース王』一三九一。己の呪われた運命を知り、生まれてきたことを嘆くオイディプースの言葉(彼は赤子の時に、キタイローン山に捨てられた)。エピクテートス『語録』一・二四・一六でも引かれている。

(15) エウリーピデース『アンティオペー』断片二〇八・一—二(ナウク)。七巻四一章参照。

(16) エウリーピデース『ベレロポンテース』断片二八七・一—二(ナウク)、七巻三八章参照。

(17) エウリーピデース『ヒュプシピュレー』断片七五七・六—七(ナウク)、七巻四〇章参照。

(18) キュニコス派の哲学者。八巻注(4)参照。

(19) 五巻一六章参照。

(20) 九巻二三章参照。

(21) 八巻三四章参照。

(22) 三巻注(2)、六巻一六章参照。

(23) 一〇巻三六章参照。

(24) 一〇巻二五章参照。

(25) この文は何らかの韻文の引用かもしれない。

(26) 八巻四一章、一二巻三章参照。

(27) 五巻二五章、一〇巻三二章参照。

(28) 前四〇二/一—三一八年。アテーナイの政治家。直前の副詞「親切に」が彼の渾名「優れた人《クレーストス》」を想起させているのであろう。

(29) 本巻一八章参照。

(30) 一二巻二章参照。

(31)『イソップ寓話集』一五三（ペリー）（中務哲郎訳、岩波文庫）参照。狼が羊に友情を装い、不和の原因として番犬を除かせたのちに羊を皆殺しにした。
(32) 三巻一一章、本巻二章、一二巻一八章参照。
(33) 本巻一一章参照。
(34) 八巻四七章参照。
(35) 五巻三章、六巻二章参照。
(36) 八巻五六、五九章参照。
(37)「牡牛は子牛を守るため全力で突進してライオンに立ち向かうよう、自然によって能力を授けられている。これと同様に、卓越した力に恵まれた人間は、……人類を守ることへとおのずと駆り立てられる」（キケロー『善と悪の究極について』三・六六）。同じことはエピクテートス『語録』一・二・三〇にも見られる。
(38) 二巻一章、五巻一六章、七巻五五章参照。
(39) 八巻一四章参照。
(40) 四巻三章、七巻二二、六三章参照。
(41) 一巻一七章冒頭、一〇巻三〇章参照。
(42) 九巻三八章参照。
(43) 七巻一六章、八巻四〇章、九巻一三章、本巻一一、一六章参照。
(44) 一〇巻一〇章参照。
(45) 九巻四章参照。

(46) ムーサイ(詩の女神たち)は、ゼウスとムネーモシュネー(記憶)の娘の九姉妹である。
(47) 一巻九章、六巻一六章参照。理性の転倒である情念を完全に免れた、賢者の心のあり方のこと。
(48) 音楽の神アポローンの呼び名の一つ。彼の竪琴と歌に合わせてムーサイが歌い踊る。
(49) 五巻一七章、七巻七一章、九巻四二章参照。
(50) 五巻二章、本巻一六章参照。
(51) 一二巻一章参照。
(52) 町の鼠に招待された田舎の鼠が御馳走に喜ぶが、人間が来るのに怯えて帰る話。『イソップ寓話集』三五二(ペリー)、ホラーティウス『諷刺詩集』二・六でよく知られる。
(53) 子供をさらって食う女のお化け。死などをこれに喩えることは、プラトーン『パイドーン』七七E、セネカ『賢者の恒心について』五・一、エピクテートス『語録』二・一・一五参照。
(54) ペルディッカース二世(前四一三年没)。マケドニア王(在位前四五〇頃―四一三)。アリストテレース『弁論術』二・二三・一三九八aなどによれば、ソークラテースを招いたのはその息子のアルケラーオス王(在位前四一三―三九九)である。
(55) セネカ『倫理書簡集』一一・八―九に、このように勧めるエピクーロスの言葉が引かれているため、「エピクーロス派の人々」と直す読みが採られることが多い。
(56) ピュータゴラース派のエウリュパーモスによると、他の動物と異なる人間の本性は、「大地から直立しており、天を眺めることである」(ストバイオス『抜粋集』四・三九・二七)。本書七巻四七章も参照。
(57) 一〇巻一章参照。

(58) ディオゲネース・ラーエルティオス『哲学者列伝』二・三七に本個所と似た逸話がある。

(59) 教える前に学ぶ必要があることは多くの人が説いている。「支配する前に支配されることを学べ」（ソローンの言葉、ディオゲネース・ラーエルティオス『哲学者列伝』一・六〇）。

(60) 未特定の悲劇断片三〇四（ナウク）。マルクスが言わんとするのは、情念の奴隷だから、言葉を制御できていない、または理性を欠いているということであろう。

(61) ホメーロス『オデュッセイア』九・四一三。オデュッセウスは、ポリュペーモスを助けに来たキュクロープスたちが、彼の目を潰した男の名を「誰もおらぬ」と聞いてあきれて帰ってしまったのを見て、「わたしは自分の優れた才覚で偽りの名を名乗り、見事に相手をだましたのを見て、心中ほくそ笑《え》んだものであった」（松平千秋訳）。マルクスが引いた理由は不明だが、世人の愚かさを笑っているのかもしれない。

(62) 「（鉄の時代の人間が老親に対して）悪罵を放って誹るようになる」（ヘーシオドス『仕事と日』一八六、松平千秋訳）の一部を変えて「徳」という語を入れている。

(63) エピクテートス『語録』三・二四・八七の要約。

(64) エピクテートス『語録』三・二四・八八―八九の要約。

(65) エピクテートス『語録』三・二四・九一―九三の要約。

(66) エピクテートス『語録』三・二二・一〇五。

(67) 四巻一章、四巻注(2)、五巻二〇章、六巻五〇章参照。

(68) エピクテートス断片二七（シェンクル）。

(69) エピクテートス断片二八（シェンクル）。

(70) 本章もエピクテートスの断片かもしれない。

第一二巻

(1) 八巻四一章参照。
(2) 四巻二九章、本巻一三章参照。
(3) 本巻八章参照。
(4) 二巻二章、三巻一六章参照。
(5) エンペドクレース断片二七―二八(ディールス－クランツ)。
(6) 二巻一三章、三巻三章参照。
(7) 三巻四章参照。
(8) 本章は、神と死後の魂の消滅に関する考察として重要であるが、二巻三章、四巻二一章、一一巻三章も参照。
(9) 四巻五〇章、五巻二三章、九巻三二章、本巻三二章参照。
(10) 一一巻注(7)参照。
(11) 「しまっておいて、使う時に手にする」とも訳せる。
(12) 七巻六一章、七巻注(57)参照。賢者を剣闘士や格闘家に準えるのはセネカに多い。『賢者の恒心について』八・三、一六・二など参照。
(13) 四巻二一章、八巻一一章、本巻一八、二九章参照。

(14) 五巻一〇章、七巻五四章参照。
(15) 二巻一章、七巻二二章参照。
(16) 本巻一章参照。
(17) 四巻二七章参照。
(18) 九巻四、三八章参照。
(19) 四巻六章、五巻一七章参照。
(20) 二巻三章、三巻一六章、七巻三章参照。
(21) 五巻一六章、一一巻二一章参照。
(22) 九巻二八、三二章参照。
(23) 二巻一五章、一一巻一六章参照。
(24) 九巻三一章参照。
(25) 六巻一五章、七巻二五章参照。
(26) 生命原理の気息のあり方は、胎児においては植物と同じ「自然」だが、生まれて空気を吸った瞬間に冷却されて「魂」に変わる。
(27) 天体以外にも目に見えない神霊が存在する。セネカ『自然研究』七・三〇・四参照。
(28) 二巻一五章、四巻七章、八巻二九章、九巻七章、本巻二二章参照。
(29) 二巻一章参照。
(30) 二巻五、一四章、本巻三章参照。
(31) 五巻三三章、一〇巻三一章参照。

(32) 四巻五〇章、四巻注(53)参照。
(33) 不詳。
(34) ティベリウス時代の将軍かもしれない。バイアエはネアーポリス近郊の有名な温泉で歓楽地。
(35) ティベリウス・クラウディウス・ネロー。第二代ローマ皇帝(在位一四—三七年)。二六年以降、カプリ島に隠棲した。当地における彼の淫蕩な生活については、スエートーニウス『皇帝伝』「ティベリウス」四二—四四参照。
(36) マルクスの修辞学教師フロントーの手紙の一つが、この名の人物に宛てられている。
(37) 六巻注(9)参照。
(38) 天体のこと。一一巻二七章参照。
(39) 六巻七章参照。
(40) 九巻八章参照。
(41) 九巻九章参照。
(42) 四巻五〇章、五巻二三章、九巻三二章、本巻七章参照。
(43) 三巻一〇章、五巻二四章参照。
(44) 一〇巻三一章参照。
(45) 特にエピクーロスのことを念頭に置いている。
(46) 一〇巻二〇章、本巻二三章参照。
(47) ヘインズによる補い。二巻一四章、九巻三七章参照。
(48) 法務官が祝祭を主催した。

(49)　三巻八章、一一巻一章参照。

（兼利琢也）

訳者解説

一　マルクス・アウレーリウスの生涯

マルクス・アウレーリウス・アントーニーヌスは西暦一二一年四月二十六日にローマで生まれた。父はアンニウス・ウェールスといい、マルクス・アウレーリウスも最初はマルクス・アンニウス・ウェールスという名前であった。ウェールス家はスペインの出であったが、百年以上前からローマに移住し、マルクス・アウレーリウスの祖父はローマ総督、執政官、元老院議員等の重職についていた。マルクスが八歳のとき父が死んだので、その後はこの祖父の許に引取られたが、マルクスは父の「慎ましさと雄々しさ」を記憶して感謝している(一・二)。母も名門の出で、教養高く、敬虔な、慈悲深い婦人であった。マルクスは生まれつき病弱であったので学校に通う代りに家庭教師について勉学した。時の皇帝ハードリアーヌスは少年マルクスに非常な興味を持ち、彼の名Verusをもじって“Verissimus”(「最も真実なる者」の意)と呼んで可愛がり、その教育にも何くれとなく尽力した。

この愛称によってもうかがわれるように、マルクス・アウレーリウスは幼少の頃からきわめて優れた資質をあらわしていた。生来誠実、真摯な彼はすでに十二歳のときに哲学者の着る粗い毛の布の衣をまとい、勉強に熱中するかたわらいわゆる「ギリシア的訓練」に服して肉体をも厳格な節制のもとに鍛え、そのおかげで病弱を克服することができた。マルクスは最初文学、音楽、歌、舞踊、絵画等を学ばせられたが、やがて哲学にもっとも心を惹かれ、これに専念するようになった。当時彼の周囲のローマ社会ではストア哲学が大いにおこなわれていた。そういう外的な影響にもよるであろうが、おそらくマルクスの内面的な傾向にもぴったりするものがあったためであろう、彼はこの学派の哲学にもっとも傾倒し、ここに一生心の支柱となるものを見出した。

マルクス・アウレーリウスの教師たちはみな当時の一流人物であった。その中にはプルータルコスの甥にあたる人で、ストア哲学者であるセクストスがいた。また特愛の師ユーニウス・ルスティクスはマルクスに初めてエピクテートスを教えた人で、マルクスが皇帝になってからも相談役として留まった。あらゆる師の中マルクスともっとも親密な間柄にあったのは当時博識名文をもって鳴っていた修辞学者フロントーで、この人の影響はマルクスが即位してからも三、四年間続き、その頃フロントーが没したらしい。

二人の間に交わされた書簡の一部が一八一五年に初めてミラノで発見されたが、これを見るとこの師弟の間の愛情のこまやかさがよくうかがわれるばかりでなく、マルクス・アウレーリウスの人となりや勉強法や日常生活の具体的な事柄が、断片的ながらいきいきと目に浮んできて興味ふかい。本書第一巻でフロントーに言及しているところは意外にあっさりしているが、それはマルクス・アウレーリウスがやがてこの師の影響を脱し、「美辞麗句をしりぞけること」(一・七)を学び、より本質的な哲学の道へと成長して行ったためであろう。

マルクス・アウレーリウスが十七歳のとき皇帝ハードリアーヌスが没し、その遺志によりアントーニーヌス・ピウスが後継者として即位した。同じくハードリアーヌスの遺志により、マルクスとルーキウス・ウェールスの二人が、アントーニーヌスの養子として迎えられたが、アントーニーヌスはマルクス一人を将来の自分の後継者として公表し、彼にカエサルの称号を与えた。マルクス・アウレーリウスが養父をいかに敬愛し、彼に学ぶところいかに多かったかは第一巻に詳細に記されている。二十六歳のときアントーニーヌスの娘ファウスティーナと結婚し、養父をたすけて国政に参与した。彼自身の言によればファウスティーナは「優しい、誠実な」妻で、多くの子供を産んだが、子供たちはおおむね病弱で、夭折した者も少なくなかった。フロントーへのマルクスの手紙には父親としての愛情と絶えざる心労が如実にあらわれている。『自省録』の中でわが子にたいする執着を厳しく戒めているが(八・四九、九・四〇、一〇・三五、その他)、一見冷たい言葉のかげには幼い子をつぎつぎに喪った父親のうずく心のあることを忘れてはならない。

アントーニーヌス・ピウスは一六一年に没した。元老院ではマルクス・アウレーリウス一人を後継者として迎えようとしたが、マルクスは先帝ハードリアーヌスの遺志を尊重して義弟のルーキウス・ウェールスを自分と平等の地位に引きあげ、二人で皇帝の位についた。そのうえ、義弟にたいする信頼と愛情のしるしに自分の長女ルーキッラを妃として与えた。ところがルーキウスは怠惰な、享楽好きな人物で、皇帝になってもその地位の責任を一向に自覚する様子もなかったが、マルクスにたいしては終始尊敬と友情を示し、マルクスのほうでも彼を寛大に扱ったので、二人の間は平和にすぎて行った。

読書と瞑想に耽ることがなにより好きな内向的なマルクス・アウレーリウスにとって、皇帝としての責任を一身に負い、政務や戦争に忙殺されるのは決して有難いことではなかった。しかし義務観念の強い彼は、全努力を傾注して与えられた仕事を果し、また自分の理想とするところを現実化しようと心を砕いた。

平和を楽しむこと久しかったローマ帝国はマルクス・アウレーリウスの時代になって

多事多難なところにさしかかった。即位早々、北境ゲルマン人たちの擾乱、ティベリス河の氾濫、地震等の災難に相ついで襲われ、またシリアに侵入しようとしたパルティア人たちとの戦争も起った。マルクスはルーキウスを遠征軍の司令官として派遣した。ルーキウスはなにもしなかったが軍は勝利をえて一六六年に凱旋した。ところがその帰還の際、ペストの病毒を持ってきたため、疫病はライン河に至るまで蔓延し、人畜の死体が至るところに累々とよこたわる有様であった。この疫病とこれに伴う飢饉の最中にゲルマン民族の一部であるマルコマンニー族がほかの種族とともにイタリアの北境をおびやかしているとの報せがきたので、マルクスはルーキウスとともに遠征してこれを斥けアルプス国境を遍歴し、道路を修繕せしめた後ローマに帰った。その帰途ルーキウスは病をえて一六九年に没し、以後マルクス・アウレーリウスは一人で国を治めた。

ゲルマン人との戦いは小康をえたにすぎず、やがてさらに多数の北夷がイタリアの中へ侵入しようと企てた。長年の災害のために国庫も窮していたので、新しい軍を編成して敵に立向かう必要から、マルクス・アウレーリウスは自分の財宝を競売に付し、もってこれに備えた。こうして用意ができると、マルクスはみずから軍の先頭に立ってダニューブ河畔に遠征し、森林や沼沢の多い、非衛生きわまる地帯に陣営をかまえ、長い月日を戦いの中にすごした。『自省録』の第一巻はこのときの陣中手記である。一七五年ようやく敵は降服し、再び平和と秩序が訪れるかに見えたが、このときにあたってマルクスの配下の有力なる将校の一人アウィディウス・カッシウスがその任地シリアにおいて謀叛を起し、マルクスは死んだといいふらし、みずから皇帝と名乗って出た。彼は今の言葉でいえば生粋の軍国主義的愛国者で、マルクスの平和的文化的傾向を大ローマ帝国の将来のために憂えていたのである。アウィディウス・カッシウスの言葉にだまされて彼の味方につこうとした者もいたが、やがて嘘だとわかると、その部下の兵士たちが怒って彼を殺してしまったので事は大事にいたらずに済んだ。この報せを受けるとマルクスは、自分でカッシウスとよく話合って解ってもらおうと思っていたのに残念だ、といったという。そして彼の遺族や支持者たちにたいしてはきわめて寛大な処置を取るように計った元老院宛の手紙が残っている。

謀叛を聞いて東部へ出かけて行ったマルクス・アウレーリウスはそのままシリアに赴いたが、その帰途、行をともにしていた妃ファウスティーナが突然病死した。マルクスの悲しみはひとかたならず、そこに墓を立ててねんごろに弔った。その後一人旅を続け、スミュルナ、エペソスを経てアテーナイに行き、エレウシースの秘儀《ミステーリア》の伝授を受けた。もっともこれは当時の風習にならったまでのことで、彼の信念とは関係のないことであったらしい。また当時アテーナイには今でいえば大学に当るような制度があり、修辞学や哲学の講座があったが、マルクスはこれに奨励金を与えたり、新たに四つの哲学の講座――プラトーン学派、アリストテレースの逍遥学派、ストア学派、およびエピクーロス学派――を創設した。

一七六年ローマに凱旋するやマルクス・アウレーリウスは亡き妻を記念する意味で貧しい女子五千人を国費で養育教育する施設をこしらえたり、皇室に負債ある市民たちに免債の特典を与えたりした。ようやく平和の日が訪れマルクスも好きな学問をする余暇が少しはできたかと思うと、またもや一七八年に全ゲルマン民族がこぞってパンノニアを襲ってきた。マルクスは息子コンモドゥスを伴って現場に馳せ、一七九年には大勝利をえたが、一八〇年シルミウム、また一説にはウィンドボナ（現在のウィーン）において伝染病のために没した。享年五十八歳。死の直前、意識朦朧としていたとき「戦争とはこれほど不幸なことか」とつぶやいていたという。彼はなによりの平和愛好者で、戦争は人間性の不名誉であり不幸であるとしており、よくよくの必要に迫られなければ戦わない方針であったが、いったん戦う段となれば、正当なる防衛のためにはどこまでも勇敢に戦った。不幸にして彼の在位中はほとんど絶えず戦争が続き、ために席の温まる暇もないくらいで、最期も戦塵の中に遂げなくてはならなかった。彼は在位中、仁政によって万人の敬愛を一身に集めていたので、死後一世紀の間多くの家では彼を家の守護神《ラレース》の一人として祀っていたという。史家ギボンはアントーニーヌス・ピウスおよびマルクス・アウレーリウス・アントーニーヌスの治世を評して、「二人は四十二年間ローマ帝国をたゆみなき叡智と仁徳とをもって治めた。……彼らの御代こそ大民族の幸福を統治の唯一の目標とせる歴史上唯一の時期であろう(1)」といった。なかんずくマルクス・アウレーリウスの統治には彼独特の思想的背景がにじみ出ていた。正義、博愛、社会連帯感情等が彼のなすことを特徴づけていた。

ただ彼の時代にキリスト教徒の迫害が盛んにおこなわれたことがしばしば問題になるが、これはトラヤーヌスの時代に非合法結社を禁ずる法律が制定されたのをそのまま踏襲したにすぎず、マルクス・アウレーリウスがみずからイニシアティヴを取って迫害をした事実はない。むしろこの法律の適用を和げることに努めた形跡がある。またマルクス・アウレーリウスには無制限の権力があったわけでないこと、ローマ帝国の広大な版図の片隅でおこなわれていたことについていちいち関知するわけもなく、ましてやこれを監督することもできなかったこと、ただ帝国の安寧秩序を保つためには右の法律を支持せざるをえなかったこと等、ルナンなどのいうところは大体正鵠をえているのであろう。『自省録』の中にはキリスト教徒に言及しているとおぼしき個所がいくつかあるが(一・六、三・一六、七・六八、八・四八、五一、九・三)マルクスのキリスト教にたいする認識はきわめて皮相で、その本質についてはなんら知るところがなかったように思われる。

二　『自省録』の思想内容について

マルクス・アウレーリウスは早くからストア哲学に傾倒した。彼はこれを主としてかの奴隷エピクテートスの書きものを通して身につけたらしい。そして一度この思想を受け入れるや、終生変ることなくこれを忠実に守り通した。したがって『自省録』に現われた思想は、一言にしていえばストア哲学である。マルクス・アウレーリウスを通して現われたストア哲学とはどんなものか、ごく簡単にその概要を記してみよう。

ストア哲学は紀元前三〇〇年頃にゼーノーンが創始し、以来マルクスの時代までには四百年以上も伝統が続いており、マルクスはいわばその最後の代表者であるともいえるのである。この哲学はギリシアの地に発祥したが、いったんローマ帝国に輸入されると、ローマ人の男性的実際的な気質によく合っていたと見えて、この地において大いに栄え、セネカ、エピクテートス、マルクス・アウレーリウス等を生んで、いわゆる後期ストアを形成した。後期ストアの特徴はツェラーのいうように、その思想内容が著しく宗教的色彩を帯びてきた点にある。すなわち「哲学は初期の人びとの場合のごとくなんの欠乏も感じない精神の自由な活動にあらずして、道徳的感情的渇望を満足させる方法」とな

ってきたのである。(2)

ストア哲学は三部分に分かれている。すなわち物理学、論理学、倫理学である。論理学とは思念を統御し、客観的事物をあるがままの姿においてのみ認識することを教え、あらゆる思索に必要な道具であった。また物理学は宇宙とその中における我々の位置を理解する上に必要な事柄を教えた。というのは「自然にかなった生活」というのがストア哲学の基調であり、この自然とは宇宙を支配する理性ないし理法を指すのである。しかし物理学も論理学も倫理学にたいして従属的な位置におかれ、道徳的な生き方を導き出す基礎として必要なかぎりにおいてのみ意義を認められた。これは特にマルクス・アウレーリウスにおいて顕著であって、彼は天体現象を研究したり、三段論法を分析したりすることに時を費さなかったのを感謝している(一・一七末尾)。

ストアの倫理は幾つかの信条《ドグマ》――すなわち真理と認められるもの――を基礎として打ちたてられている。この信条に従えば宇宙は一つ、すなわち神も物質も一つである。神、または元始の存在はその形成的能力をもって物質の上に働きかけ、自分自身の中からまず宇宙を創り出し、この宇宙はその後因果律に従って変化を続ける。しかしこれは火によって周期的に破壊され、その残骸の中から再び新しい宇宙が創造される。以上の考えは汎神論的であり物質的であるが、しかし他方においてこの神的な力はゼウス、原因《アイティア》

(形相因)、宇宙の理性、法律、真理、運命、必然、摂理、等とも呼ばれている。こうした矛盾はマルクス・アウレーリウス自身はっきり意識していなかったように見える。少なくとも彼の興味はそういう純粋な形而上学的思惟にはなかった。

　ストア哲学によれば、人間は肉体(肉)、霊魂(息《いき》)、および叡智(指導理性《ト・ヘーゲモニコン》)から成る。指導理性は宇宙を支配する理性の一部、すなわち神的なものの分身であって、これが人間の心の中に座を占めるダイモーンであり、人間の人間たる所以のものである。

　以上のような信条《ドグマ》から我々の神、人、自己にたいする義務観念がひき出される。すなわち神々にたいする敬虔、人にたいする社会性《コイノーニアー》、自己における自律自足である。

　神々という言葉をマルクス・アウレーリウスは時には当時の民衆の考えるような目に見える神の意味に用い、時には宇宙を支配する理性の意味に用いた。彼は永生不死の神々の存在を確信し、その神々は人類のために配慮し、人間とともに生き、悪人さえも助けると信ずる。人間は神々に信頼し、これに従い、これに仕え、これに似たものとならなくてはならない。神々もまた宇宙の一部でその制約を受ける。したがって我々が運命に忠実であることによって神々の安寧と繁栄に貢献するのである。

　すべて理性を持つ者は同胞であるから、我々人間は一人残らず宇宙国家の市民であって、互いに睦み合うべく創られており、宇宙的な仕事に協力すべくできている(二・一、

四、五・八)。たとえ我々に悪いことをする者があっても、我々はそういう人びとにたいして善意を持ち続け、その過ちを正してやるか、それができなければ彼らを耐え忍ばなくてはならない。

すべて生命を有するものの義務はその創られた目的を果すにある。しかるに人間は理性的に創られた。ゆえに人間はその自然《ピュシス》に従って、すなわち理性に従って生きれば、自分の創られた目的を果すことができる。そのためには絶対に自律自由でなくてはならない。他人にたいしてしかり、また自分の肉体からくる衝動や、事物にたいする自分の誤った観念や意見にたいしてもそうであって、これに囚われてはならない。なかんずく死にたいする恐怖から解放されていなくてはいけない。

ここにおいてストア哲学は、その実践倫理に特有な思想として、我々の自由になることとならぬこととの区別を強調する。我々の自由になることとは我々の精神的機能、わけても意見をこしらえたり、判断をくだしたりする能力である。また徳および悪徳である。これに反し我々の外部にあるものは我々の力でどうにもならない。我々の肉体もその一つである。これ以外のものはすべてどうでもいいこと(adiaphora すなわち善でもなければ悪でもない無差別なこと、あるいは mesa すなわち徳と悪徳の間の中間物ともいう)である。たとえば健康と疾病、富と貧、名誉と不名誉等である。したがって我々は自分の意志でどうにもならぬことはこれをつぶやかずに忍び、どうでもいいことはこれを求めもせず避けもせず、どうにでもなることすなわち我々の内心の営みにのみ本拠をおいてそこに独立と自由と平安を確立すべきである(五・二〇、六・三二、四一、四五、その他)。

人間の幸福と精神の平安は徳からのみ来る。徳とは宇宙を支配する神的な力、すなわち「宇宙の自然」に服従し、その自然のなすことをすべて喜んで受け入れることにある。また我々の動物性に打克ち、何ものにも動かされぬ「不動心《アタラクシアー》」に到達することにある。「人生即主観《ヒュポレープシス》」であるから、我々は自分の感覚や知覚からくる印象や、事物にたいする判断や意見をよく吟味せずに無差別に受け入れてはならない。まずこれを正しく定義し、分析することによってその真偽をたしかめなくてはいけない。「自分はなにも損害を受けなかったと考えよ。そうすれば君は損害を受けなかったことになる」(四・七)とマルクス・アウレーリウスはいう。

しかし人間の力はかぎられており、その道には越え難い障碍物があらわれる。したがって賢い人間は何事を志すにあたっても、かならず「ある制約の下に」meta hypexaireseōs のみこれを考慮する。すなわち、そのことが到達されうるものであるかぎりにおいてこれを目的とするのであって、到達されえぬものであった場合には、さっぱりとこれを諦め、そのためになんの幻滅も苦痛も覚えず、なんの損害も蒙らない。それのみかかえってこの障碍物を利用して徳を発揮する機会となし、またほかの目的に達するための足場になしうる場合も少なくないのである(四・一、五一、六・五〇、一一・三七)。

死後の運命についてははっきりした信念はない。そのまま虚無に帰するにしても、他処へ移ってある生存を続けるにしても覚悟はできている、という態度であった。自殺にたいしては、人間が道徳的な存在を続けることができないような場合にかぎってこれを是認する。しかしこれについては特に慎重を要する、というのであった(一〇・八、その他)。

以上が『自省録』にあらわれた思想のきわめて大まかな要約である。これを通して見れば、マルクス・アウレーリウスはエピクテートスのあまりにも忠実な弟子であって、そこには思想的になんの新しい発展もない。そしてストア哲学の思想というものが現代の我々にとっていかなる魅力を持つかと考えてみると、そこには自らある限度がある。その説くところの物理学も論理学ももはや我々にとってほとんど意味がない。ただその倫理のみがその厳格なる道義観をもって今日もなお崇高な美しさと権威とを保っている。しかしこれもまたある限界を持っている。この教えは不幸や誘惑にたいする抵抗力を養うにはよい。我々の義務を果させる力とはなろう。しかしこれは我々の内に新しい生命を湧き上がらせるていのものではない。「われらの生活内容を豊富にし、われらの生活肯定力を充実しまたは旺盛にするものではない。(3)」そういう力の泉となるには、全人格の重心のありかを根底からくつがえし、おきかえるような契機を与えるものが必要である。それはストア哲学にはない。

　しかしこのストア思想も、一度マルクスの魂に乗り移ると、なんという魅力と生命とを帯びることであろう。それは彼がこの思想を身をもって生きたからである。生かしたからである。マルクスは書斎人になりたくてたまらなかった。純粋の哲学者として生きるのを諦めるのが彼にとっていかに苦痛であり、戦いであったかは『自省録』の随所にうかがわれる(八・一、その他)。しかし彼の場合には、彼が皇帝としてなまなましい現実との対決に火花を散らす身であったからこそその思想の力と躍動《エラン》が生まれたのかもしれない。『自省録』は決してお上品な道徳訓で固められたものではなく、時には烈しい怒りや罵りの言葉も深い絶望や自己嫌悪の呻《うめ》きもある。あくまで人間らしい心情と弱点をそなえた人間が、その感じ易さ、傷つき易さのゆえになお一層切実にたえず新たに「不動心《アタラクシアー》」に救いを求めて前進して行く、その姿の赤裸々な、いきいきとした記録がこの『自省録』なのである。

この求道の記録は古来数知れぬ人びとを鞭ち、励ましてきた。その中にはシュライエルマッヘル、メーテルリンク、ルナン、テーヌのごとき人びとを数えることができる。なかんずくメーテルリンクの著書 "*La Sagesse et la Destinée*" の内容がマルクス・アウレーリウスの思想に酷似することを O. Kiefer は指摘しているが、(4) まさにその通りと思われる。

宇宙観、自然観は変ってもこの書は決して古びないであろう。なぜならば「マルクス・アウレーリウスの宗教は……絶対的宗教である。それは一つの高邁なる良心が宇宙の前に面と向かって据えおかれたという簡単な事実の結果として生ずるものである。これはある(特定の)人種や国に属するものではない。いかなる革命も進歩も発見もこれを変えることはできない(5)」からである。

三　『自省録』の構成、文体その他について

マルクス・アウレーリウスは筆を執るのが好きな人であった。彼は青年の頃師フロントーに宛てた書簡の中で、書くことは自分にとって第二の天性になってしまった、といっている。しかしその彼も皇帝という地位にあり、しかもほとんど在位の全期間にわたって席の温まる暇もないくらい従軍していたのであるから、ゆっくりまとまった著述を

することなどできようはずもなかった。したがって彼の書きものとしては、『自省録』を除いてはわずかにフロントー宛ての書簡数通と、前述のアウィディウス・カッシウスの事件に関連した晩年の書簡四通およびカッシウスの遺族を寛大に扱うようにとの趣旨の演説の断片にすぎない。後者がたしかにマルクス・アウレーリウスの手に成るものであるかどうかについてはいまだに議論があるが、フロントー宛ての手紙は二十五歳頃のマルクスの人となりや勉強や生活を窺うのに良い資料である。

マルクス・アウレーリウスは孤独の人であった。殊に養父アントーニーヌスが逝去してからはその周囲に心を打割って話し合えるような人はいなかったのではないかと思われる。妻ファウスティーナについての忌わしい噂はともかくとして、彼女が良人の高邁な精神を理解しえなかったのは事実のようである。また義弟のルーキウス・ウェールスは凡俗な人間であったし、息子のコンモドゥスは肉体のみ発達して知力も道義心も伴わぬような野性の人であった。こうしてマルクスはその高い地位からいっても、その孤高な精神からいっても、深い孤独へ追いやられざるをえなかった。その孤独と憂愁はたとえば第九巻第三章末尾のごとき魂の呻き声にまざまざとうかがわれるのである。その孤独の中で、心のおのずからなる要求から、日々静かな瞑想のひとときを持つ習慣がやしなわれたものと思われる。そのとき彼はみずから省みその日の自分の行動を点検し、ストア哲学の教える信条《ドグマ》を思い起して新たなる力をえたのであろう。こうして苦しみと悩みの多い生活からくる失意と疲労に負けぬだけの耐久力と、新たな戦いへの勇気とを見出したのであろう。彼はいう、「自己の内を見よ、内にこそ善の泉がある。君が絶えず掘り下げさえすればその泉は絶えず湧き出るであろう」と(七・五九)。

『自省録』はこういう静かな瞑想のときにぽつりぽつりと記されたものと思われる。書中幾回となく「君」とあるのは自己にたいする呼びかけであって、いわば自己との対話ともいうべきものであろう。その多くはきわめて短い言葉で一日のあいだ考えていたことを要約したものである。時には相当長い論旨が展開されているものもある。以前読んだプラトーンやエウリーピデースの言葉が心に浮んできたのを記したものもある。いずれにしてもそこには人のために書く意識が全然なかった。したがって微塵《みじん》の衒《てら》いもなく、ポーズもないのである。

当時のローマの教養ある社会の風習として、マルクス・アウレーリウスはギリシア語でもラテン語でも文章を書けるような教育を受けていた。その頃ローマ人がギリシア語でものを書くのは決して珍しいことではなかった。しかし皇帝であるマルクス、ローマ人であることにつねに大きな誇りと責任を感じていたマルクスが、自分の心の日記を書くにあたってギリシア語を用いたということは、紀元第二世紀において、ギリシア文化がいかに優位を占めていたかを証明するに足る事実であろう。

マルクスは幼少の頃から修辞学の訓練を充分受けていた。しかし哲学に志すようになってからは文学的虚栄心を斥け、できるだけ飾り気なくものを書こうと努めたらしい。したがって青年の頃フロントーに宛てて書いた手紙の文体から見れば『自省録』の文章はきわめて簡素で時にはぶっきら棒でさえある。自分ひとりのために書いたせいでもあろうが、ひとり呑み込みで、全然他人に理解できぬような場合もある。しかしこのごつごつした、無駄のない文章には一種の厳しい美しさがあり、力がある。そして想像力をあれほど排斥するストアの学徒でありながら、感情が白熱してくると、ところどころにすばらしい比喩がひらめいて思想を一つの結晶に凝結させるのである。たとえば賢い人は怒濤の猛るさなかに泰然とやすらう岩頭のごとしとか(四・四九)、徳は消える瞬間まで燃えている灯であるとか(一二・一五)、死は熟したオリーヴの実が感謝しつつ枝から落ちて行くようなものだ(四・四八)等、いつまでも記憶に残る名句がある。右にもいったように、『自省録』の思想内容には独創性がない。しかしその表現にはたしかにある。それは結局マルクスの魂の生地がストアの思想に与える輝きとニュアンスであり、そのニュアンスこそマルクスの魂の姿そのものなのであった。

『自省録』には構成らしい構成がない。全体が十二巻に分けられているが、たしかにマルクス・アウレーリウスが分けたものかどうかわかっていない、ただ第一巻と第二巻の終りに執筆の場所の名前が記してあるので、おそらく初めから巻に分けられていたものであろうと推察するのみである。内容的に見てもわずかに第一巻が序文の役目を果すのみで、あとはほとんど行きあたりばったりに記されていった感じである。同じ主題がいくつかの断片に連続して扱われている場合もあるが、全然ばらばらの場合のほうがもっと多い。同じ引用句や同じ思想の重複しているものも少なくない。結局これらの断片を統一するものはひとえに著者の終始一貫した心がまえにあるのであろう。その心がまえとはとりもなおさず右にいう徳の灯を絶えず輝かせておこうとする意欲であり、祈りである。

執筆の時代もおそらくきわめてまちまちで第一巻や第二巻のようにある特定の時と所で一巻全部が記された場合はむしろ少ないのではないかと考えられている。第一巻はファウスティーナの死以前に書かれたもので遠征先のグラン河畔で記されたとあるから、一六六年から一七六年の間のものであろう。この巻は他の巻と全然性質が異なっていて、全篇神と人にたいする感謝の言葉で終始している。これは前にもいったように書物全体にたいする序文のような位置を占めているが、時代順からいえばおそらく最後に書かれたもので、書かれた気持からいえば、全体にたいするしめくくりのようなものであろうといわれている。第二巻はカルヌントゥムという地名が付せられているところから一七〇年から一七四年の間のものと推定される。その他の巻においては年代のまちまちな断片が同居しているらしい。しかしその大部分はマルクスの壮年時代ないし晩年に記されたものと考えられている。したがって人生の重荷と孤独と悲哀のまさりゆく時代の産物で、マルクスの心がしばしば死の想念に向かったのもうなずけるのである。

この『自省録』が初めて印刷になったのは一五五八年、チューリッヒの Xylander の手による。この editio princeps は Codex Palatinus と呼ばれる写本にもとづいて作られたが、その写本はその時から失われてしまった。ta eis heauton という題はこの版についていたもので、マルクス・アウレーリウス自身がつけたものかどうかはわからないけれども、以後どの版にも踏襲されるようになった。右のほかに唯一の完全な写本として知られているのは十四世紀の Codex Vaticanus で、一七七四年、パリにおいて de Joly が出した版はこれにもとづいている。この二つの写本は互いに独立に成立したらしく、相違点も多い。また殊に Vaticanus のほうは非常に誤謬が多く、Palatinus も省略個所や不正確な写しがあって、原典の読みを知るのに大きな困難を来している。その他の写本はみな原著からの抜粋にすぎない。

本訳においては原典の読みに問題のある個所を〔　〕の印で囲み、読者の理解を助ける意味で訳者が挿入した言葉を普通の括弧の印で囲むことにした。

（1） E. Gibbon, *The Decline and Fall of the Roman Empire*, Chap. III.

（2） E. Zeller, *Die Philosophie der Griechen.*

（3） 三谷隆正『幸福論』。

（4） O. Kiefer, *Marc-Aurel Selbstbetrachtung*, Einleitung.

（5） E. Renan, *Marc-Aurèle.*

補訂付記

『生きがいについて』をはじめとする幾多の著述で知られる精神科医で思想家の神谷美恵子(一九一四―七九)は、若き日にマルクス・アウレーリウスの『自省録』に出会い、深く傾倒した。彼女が訳した『自省録』は、一九五六年に岩波文庫版に収められて以来、多くの版を重ねて読み継がれてきている。五十年を経て版を改めるにあたり、注を刷新するとともに、若干の修正を施した。

一、固有名詞とギリシア語の表記は、神谷の方針に則って全体を統一した。原則として、ローマ人はラテン語読み、ギリシア人とギリシア語著述家はギリシア語読みを採り、音引きを入れた。

一、文中のギリシア語は原則としてローマ字表記にした。

一、若干の漢字にルビ・送り仮名を振るか、かなに変えた。

一、訳注は、神谷が付したものを取り込みつつ新たに作成した。

神谷は序文で、翻訳に用いた校訂本と翻訳を挙げている。解説末尾で述べられているように、『自省録』の原文には欠損が多く、どの読みを採るかで意味がかなり異なるため、神谷は訳文に〔　〕を挟み、校訂上の問題があることを明記している。

翻訳に用いられた校訂本は、

Leopold, J. H., *Marcus Antoninus Imperator, Ad se ipsum*, Oxford, 1908. (ed., OCT)

Schenkl, H., *Marci Antonini Imperatoris In semet ipsum libri XII*, Leipzig, 1913. (ed., Teubner)

Haines, C. R., *The communings with himself of Marcus Aurelius Antoninus*, London, 1916. (ed. et tr., LCL)

Trannoy, A. I., *Marc Aurèle, Pensées*, Paris, 1925. (ed. et tr., CUF)

それ以降に刊行された重要な校訂・翻訳・注釈書として以下のものがある。

Farquharson, A. S. L., *The meditations of the emperor Marcus Antoninus*, 2 vols, Oxford,

1944.(ed., tr. et com.)
Theiler, W., *Kaiser Marc Aurel, Wege zu sich selbst*, Zürich, 1951, 1974.(ed. et tr.)
Cortassa, G., *Scritti di Marco Aurelio, lettere a Frontone, Pensieri, documenti*, Torino, 1984.(ed., tr. et com.)
Dalfen, J., *Marcus Aurelius, Ad se ipsum libri XII*, Leipzig, 1979, 1987.(ed., Teubner)
水地宗明著『注解　マルクス・アウレリウス「自省録」』法律文化社、一九九〇年。
水地宗明訳『マルクス・アウレリウス「自省録」』京都大学学術出版会、一九九八年。
Hadot, P. et Luna, C., *Marc Aurèle, Écris pour lui-même*, tome 1, Paris, 2002. (ed. et tr., CUF)

（兼利琢也）

マルクス・アウレーリウス 自《じ》 省《せい》 録《ろく》

1956年10月25日 第1刷発行
2007年 2 月16日 改版第1刷発行
2025年 8 月12日 第32刷発行

訳 者 神谷美恵子《かみやみえこ》

発行者 坂本政謙

発行所 株式会社 岩波書店
〒101-8002 東京都千代田区一ツ橋 2-5-5

案内 03-5210-4000 営業部 03-5210-4111
文庫編集部 03-5210-4051
https://www.iwanami.co.jp/

印刷・三秀舎 カバー・精興社 製本・中永製本

ISBN 978-4-00-336101-6 Printed in Japan

読書子に寄す

——岩波文庫発刊に際して——

岩波茂雄

　真理は万人によって求められることを自ら欲し、芸術は万人によって愛されることを自ら望む。かつては民を愚昧ならしめるために学芸が最も狭き堂宇に閉鎖されたことがあった。今や知識と美とを特権階級の独占より奪い返すことはつねに進取的なる民衆の切実なる要求である。岩波文庫はこの要求に応じそれに励まされて生まれた。それは生命ある不朽の書を少数者の書斎と研究室とより解放して街頭にくまなく立たしめ民衆に伍せしめるであろう。近時大量生産予約出版の流行を見る。その広告宣伝の狂態はしばらくおくも、後代にのこすと誇称する全集がその編集に万全の用意をなしたるか。千古の典籍の翻訳企図に敬虔の態度を欠かざりしか。さらに分売を許さず読者を繋縛して数十冊を強うるがごとき、はたしてその揚言する学芸解放のゆえんなりや。吾人は天下の名士の声に和してこれを推挙するに躊躇するものである。このときにあたって、岩波書店は自己の責務のいよいよ重大なるを思い、従来の方針の徹底を期するため、すでに十数年以前より志して来た計画を慎重審議この際断然実行することにした。吾人は範をかのレクラム文庫にとり、古今東西にわたって文芸・哲学・社会科学・自然科学等種類のいかんを問わず、いやしくも万人の必読すべき真に古典的価値ある書をきわめて簡易なる形式において逐次刊行し、あらゆる人間に須要なる生活向上の資料、生活批判の原理を提供せんと欲する。この文庫は予約出版の方法を排したるがゆえに、読者は自己の欲する時に自己の欲する書物を各個に自由に選択することができる。携帯に便にして価格の低きを最主とするがゆえに、外観を顧みざるも内容に至っては厳選最も力を尽くし、従来の岩波出版物の特色をますます発揮せしめようとする。この計画たるや世間の一時の投機的なるものと異なり、永遠の事業として吾人は微力を傾倒し、あらゆる犠牲を忍んで今後永久に継続発展せしめ、もって文庫の使命を遺憾なく果たさしめることを期する。芸術を愛し知識を求むる士の自ら進んでこの挙に参加し、希望と忠言とを寄せられることは吾人の熱望するところである。その性質上経済的には最も困難多きこの事業にあえて当たらんとする吾人の志を諒として、その達成のため世の読書子とのうるわしき共同を期待する。

昭和二年七月

《哲学・教育・宗教》〔青〕

ソクラテスの弁明・クリトン　プラトン　久保勉訳
ゴルギアス　プラトン　加来彰俊訳
饗宴　プラトン　久保勉訳
テアイテトス　プラトン　田中美知太郎訳
パイドロス　プラトン　藤沢令夫訳
メノン　プラトン　藤沢令夫訳
国家　全二冊　プラトン　藤沢令夫訳
プロタゴラス　―ソフィストたち　プラトン　藤沢令夫訳
アナバシス　―敵中横断六〇〇〇キロ　クセノポン　松平千秋訳
アリストテレス　ニコマコス倫理学　全二冊　高田三郎訳
アリストテレス　形而上学　全二冊　出隆訳
アリストテレス　弁論術　戸塚七郎訳
アリストテレース　詩学　ホラーティウス　詩論　松本仁助・岡道男訳
物の本質について　ルクレーティウス　樋口勝彦訳
エピクロス　―教説と手紙　出隆・岩崎允胤訳
生の短さについて　他二篇　セネカ　大西英文訳

怒りについて　他二篇　セネカ　兼利琢也訳
エピクテトス　人生談義　全二冊　國方栄二訳
人さまざま　テオプラストス　森進一訳
マルクス・アウレーリウス　自省録　神谷美恵子訳
老年について　キケロー　中務哲郎訳
友情について　キケロー　中務哲郎訳
弁論家について　全二冊　キケロー　大西英文訳
平和の訴え　エラスムス　箕輪三郎訳
エラスムス＝トマス・モア往復書簡　沓掛良彦・高田康成訳
方法序説　デカルト　谷川多佳子訳
哲学原理　デカルト　桂寿一訳
精神指導の規則　デカルト　野田又夫訳
情念論　デカルト　谷川多佳子訳
パンセ　全三冊　パスカル　塩川徹也訳
パスカル　小品と手紙　塩川徹也・望月ゆか訳
スピノザ　神学・政治論　全二冊　畠中尚志訳
知性改善論　スピノザ　畠中尚志訳

スピノザ　エチカ（倫理学）　全二冊　畠中尚志訳
スピノザ　国家論　畠中尚志訳
スピノザ往復書簡集　畠中尚志訳
デカルトの哲学原理　―附　形而上学的思想　スピノザ　畠中尚志訳
スピノザ　神・人間及び人間の幸福に関する短論文　畠中尚志訳
モナドロジー　他二篇　ライプニッツ　谷川多佳子・岡部英男訳
形而上学叙説　他五篇　ライプニッツ　佐々木能章訳
ノヴム・オルガヌム（新機関）　ベーコン　桂寿一訳
市民の国について　全二冊　ヒューム　小松茂夫訳
自然宗教をめぐる対話　ヒューム　犬塚元訳
君主の統治について　―謹んでキプロス王に捧げる　トマス・アクィナス　柴田平三郎訳
精選　神学大全　全四冊　トマス・アクィナス　稲垣良典・山本芳久編／訳
エミール　全三冊　ルソー　今野一雄訳
人間不平等起原論　ルソー　本田喜代治・平岡昇訳
ルソー　社会契約論　桑原武夫・前川貞次郎訳
言語起源論　―旋律と音楽的模倣について　ルソー　増田真訳
道徳形而上学の基礎づけ　カント　大橋容一郎訳

- 啓蒙とは何か 他四篇　カント　篠田英雄訳
- 純粋理性批判 全三冊　カント　篠田英雄訳
- 判断力批判 全二冊　カント　篠田英雄訳
- 永遠平和のために　カント　宇都宮芳明訳
- 人倫の形而上学 全二冊　カント　熊野純彦・宮村悠介訳
- シュライエルマッハー 独白　木場深定訳
- ヘーゲル 政治論文集 全二冊　金子武蔵訳
- 哲学史序論 —哲学と哲学史　ヘーゲル　武市健人訳
- 歴史哲学講義 全二冊　ヘーゲル　長谷川宏訳
- 法の哲学 —自然法と国家学の要綱　ヘーゲル　上妻精・佐藤康邦・山田忠彰訳
- 学問論　シェリング　西川富雄・藤田正勝監訳
- 自殺について 他四篇　ショーペンハウアー　藤野寛訳
- 読書について 他二篇　ショウペンハウエル　斎藤忍随訳
- 不安の概念　キェルケゴール　斎藤信治訳
- 死に至る病　キェルケゴール　斎藤信治訳
- 体験と創作 全二冊　ディルタイ　柴田治三郎・小牧健夫訳
- 眠られぬ夜のために 全二冊　ヒルティ　草間平作・大和邦太郎訳

- 幸福論 全三冊　ヒルティ　草間平作・大和邦太郎訳
- 悲劇の誕生　ニーチェ　秋山英夫訳
- ツァラトゥストラはこう言った 全二冊　ニーチェ　氷上英廣訳
- 道徳の系譜　ニーチェ　木場深定訳
- 善悪の彼岸　ニーチェ　木場深定訳
- この人を見よ　ニーチェ　手塚富雄訳
- プラグマティズム　W・ジェイムズ　桝田啓三郎訳
- 宗教的経験の諸相 全二冊　W・ジェイムズ　桝田啓三郎訳
- 日常生活の精神病理　フロイト　高田珠樹訳
- 精神分析入門講義 全二冊　フロイト　高田珠樹・新宮一成・須藤訓任・道籏泰三訳
- 純粋現象学及現象学的哲学考案 全二冊　フッセル　池上鎌三訳
- デカルト的省察　フッサール　浜渦辰二訳
- 愛の断想・日々の断想　ジンメル　清水幾太郎訳
- ジンメル宗教論集　深澤英隆編訳
- 笑い　ベルクソン　林達夫訳
- 道徳と宗教の二源泉　ベルクソン　平山高次訳
- 物質と記憶　ベルクソン　熊野純彦訳

- 時間と自由　ベルクソン　中村文郎訳
- ラッセル教育論　安藤貞雄訳
- ラッセル幸福論　安藤貞雄訳
- 存在と時間 全四冊　ハイデガー　熊野純彦訳
- 学校と社会　デューイ　宮原誠一訳
- 民主主義と教育 全二冊　デューイ　松野安男訳
- 我と汝・対話　マルティン・ブーバー　植田重雄訳
- アラン 幸福論　神谷幹夫訳
- アラン 定義集　神谷幹夫訳
- 天才の心理学　E・クレッチュマー　内村祐之訳
- 英語発達小史　H・ブラッドリ　寺澤芳雄訳
- 日本の弓術　オイゲン・ヘリゲル述　柴田治三郎訳
- ギリシア哲学者列伝 全三冊　ディオゲネス・ラエルティオス　加来彰俊訳
- 似て非なる友について 他三篇　プルタルコス　柳沼重剛訳
- エジプト神イシスとオシリスの伝説について　プルタルコス　柳沼重剛訳
- ことばのロマンス —英語の語源　ウィークリー　寺澤芳雄・出淵博訳
- ヴィーコ 学問の方法　上村忠男・佐々木力訳

国家と神話 全二冊　カッシーラー　熊野純彦訳
天才・悪　ブレンターノ　篠田英雄訳
人間の頭脳活動の本質 他一篇　ディーツゲン　小松摂郎訳
反啓蒙思想 他二篇　バーリン　松本礼二編
マキアヴェッリの独創性 他三篇　バーリン　川出良枝編
ロシア・インテリゲンツィヤの誕生 他五篇　バーリン　桑野隆編
論理哲学論考　ウィトゲンシュタイン　野矢茂樹訳
自由と社会的抑圧　シモーヌ・ヴェイユ　冨原眞弓訳
根をもつこと 全二冊　シモーヌ・ヴェイユ　冨原眞弓訳
重力と恩寵　シモーヌ・ヴェイユ　冨原眞弓訳
全体性と無限 全二冊　レヴィナス　熊野純彦訳
啓蒙の弁証法 ―哲学的断想　M・ホルクハイマー T・W・アドルノ　徳永恂訳
ヘーゲルからニーチェへ ―十九世紀思想における革命的断絶 全二冊　レーヴィット　三島憲一訳
統辞構造論 付『言語理論の論理構造』序論　チョムスキー　福井直樹 辻子美保子訳
統辞理論の諸相 方法論序説　チョムスキー　福井直樹 辻子美保子訳
快楽について　ロレンツォ・ヴァッラ　近藤恒一訳
ニーチェ みずからの時代と闘う者　ルドルフ・シュタイナー　高橋巖訳

フランス革命期の公教育論　コンドルセ他　阪上孝編訳
人間の教育 全二冊　フレーベル　荒井武訳
旧約聖書 創世記　関根正雄訳
旧約聖書 出エジプト記　関根正雄訳
旧約聖書 ヨブ記　関根正雄訳
旧約聖書 詩篇　関根正雄訳
新約聖書 福音書　塚本虎二訳
文語訳 新約聖書 詩篇付
文語訳 旧約聖書 全四冊
キリストにならいて　トマス・ア・ケンピス　大沢章 呉茂一訳
聖アウグスティヌス 告白 全二冊　服部英次郎訳
アウグスティヌス 神の国 全五冊　服部英次郎 藤本雄三訳
新訳 キリスト者の自由・聖書への序言　マルティン・ルター　石原謙訳
キリスト教と世界宗教　シュヴァイツェル　鈴木俊郎訳
カルヴァン小論集　波木居斉二編訳
聖なるもの　オットー　久松英二訳
キリスト教と世界宗教　シュヴァイツェル　鈴木俊郎訳

コーラン 全三冊　井筒俊彦訳
エックハルト説教集　田島照久編訳
ムハンマドのことば ハディース　小杉泰編訳
新約聖書外典 ナグ・ハマディ文書抄　荒井献 大貫隆 小林稔 筒井賢治 編訳
後期資本主義における正統化の問題　ハーバーマス　山田正行・金慧訳
シンボルの哲学 ―理性、祭礼、芸術のシンボル試論　S・K・ランガー　塚本明子訳
ジャック・ラカン 精神分析の四基本概念 全二冊　ジャック＝アラン・ミレール編　小出浩之 新宮一成 鈴木國文 小川豊昭 訳
精神と自然 生きた世界の認識論　グレゴリー・ベイトソン　佐藤良明訳
精神の生態学へ 全三冊　グレゴリー・ベイトソン　佐藤良明訳
他者の単一言語使用 ―あるいは起源の補綴　デリダ　守中高明訳
アデュー ―エマニュエル・レヴィナスへ　デリダ　藤本一勇訳
人間の知的能力に関する試論 全二冊　トマス・リード　戸田剛文訳
開かれた社会とその敵 全四冊　カール・ポパー　小河原誠訳
人類歴史哲学考 全五冊　ヘルダー　嶋田洋一郎訳
道徳的人間と非道徳的社会　ラインホールド・ニーバー　千葉眞訳
ロシアの革命思想 ―その歴史的展開　ゲルツェン　長縄光男訳

過去と思索 全七冊

ゲルツェン
金子幸彦
長縄光男 訳

2025, 2　F-4

岩波文庫の最新刊

宮沢俊義著／長谷部恭男編
八月革命と国民主権主義 他五篇

ポツダム宣言の受諾は、天皇主権から国民主権への革命であった。新憲法制定の正当性を主張した「八月革命」説をめぐる論文集。「国民代表の概念」等も収録。〔青N一二一-二〕 定価一〇〇一円

トーマス・マン作／小黒康正訳
トーニオ・クレーガー

芸術への愛と市民的生活との間で葛藤する青年トーニオ。自己探求の旅の途上でかつて憧れた二人の幻影を見た彼は、何を悟るのか。新訳。〔赤四三四-〇〕 定価六二七円

行方昭夫編訳
お許しいただければ
―続イギリス・コラム傑作選―

隣人の騒音問題から当時の世界情勢まで、誰にとっても身近な出来事をユーモアたっぷりに語る、ガードナー、ルーカス、リンド、ミルンの名エッセイ。〔赤N二〇一-二〕 定価九三五円

ル・クレジオ著／管啓次郎訳
歌の祭り

南北両アメリカ先住民の生活の美しさと秘められた知恵、そして深遠な宇宙観を、みずみずしく硬質な文体で描く、しずかな抒情と宇宙論的ひろがりをたたえた民族誌。〔赤N五〇九-三〕 定価一一五五円

……今月の重版再開……

柳田国男著
蝸牛考
〔青一三八-七〕 定価九三五円

高井としを著
わたしの「女工哀史」
〔青N一一六-一〕 定価一〇七八円

岩波文庫の最新刊

バルガス＝リョサ作／旦 敬介訳

世界終末戦争（上）

十九世紀のブラジルに現れたコンセリェイロおよびその使徒たちと、彼らを殲滅しようとする中央政府軍の死闘を描く、ノーベル賞作家、円熟の巨篇。（全二冊）

〔赤七九六-六〕 **定価一五〇七円**

大田洋子作

屍の街・夕凪の街と人と

自身の広島での被爆体験をもとに、原爆投下後の惨状や、人生を破壊され戦後も苦しむ人々の姿を描いた、原爆文学の主要二作。（解説＝江刺昭子）

〔緑二三七-一〕 **定価一三八六円**

ブーニン作／高橋知之訳

ミーチャの恋・日射病 他十篇

人間を捕らえる愛の諸相を精緻な文体で描いた亡命ロシア人作家イワン・ブーニン（一八七〇―一九五三）。作家が自ら編んだ珠玉の中短編小説集、初の文庫化。

〔赤六四九-一〕 **定価一一五五円**

太宰 治作／安藤 宏編

惜別・パンドラの匣

日本留学中の青年魯迅をモデルに描く「惜別」と、結核療養所を舞台としたみずみずしい恋愛小説「パンドラの匣」、〈青春小説〉二篇。（注＝斎藤理生、解説＝安藤宏）

〔緑九〇-一二〕 **定価一二二一円**

……今月の重版再開……

山田 準・五弓安二郎訳註

佐藤一斎 **言志四録**

定価一五〇七円 〔青三一-一〕

山本義彦編

清沢洌評論集

定価一二一〇円 〔青一七八-二〕

定価は消費税10％込です　2025.7